LES IMPRESSIONNISTES

COLLECTION DIRIGÉE PAR DANIEL WILDENSTEIN
ET RÉALISÉE AVEC LA COLLABORATION DE LA FONDATION WILDENSTEIN - PARIS

AUGUSTE RENOIR

FRANÇOIS DAULTE

DIFFUSION PRINCESSE, PARIS

SOMMAIRE

Crédits photographiques: Archives Durand-Ruel, Paris; Archives François Daulte, Lausanne; Archives Wildenstein, New York; Gruppo Editoriale Fabbri S.p.A., Milan; Robert Schmit, Paris; Roger-Viollet, Paris; Paul Rosenberg & Co., New York; Josse, Paris; Giraudon, Paris; Clichés des Musées Nationaux; Bulloz, Paris; Jean Clergue, Cagnes-sur-Mer; Knoedler, New York; Sam Salz, New York; Routhier, Paris; Steinkopf, Berlin

Dépôt légal, 3ᵉ trimestre 1974 - Nᵒ d'Editeur 106
Printed in Italy

POURQUOI J'AIME RENOIR

par MAURICE GENEVOIX
de l'Académie française

Etude pour les "Baigneuses dans la forêt", vers 1897. Dessin au crayon sur calque, 63 × 98 cm Collection particulière, Paris (Photo Robert Schmit)

Toute ma vie, je crois bien,
j'ai souffert de n'avoir pas été
un peintre. Ces regrets-là nourrissent
des admirations ferventes.
C'est ainsi que ma mémoire
s'est peuplée, d'année en année,
de chefs-d'œuvre,
la galerie inoubliée des tableaux
que j'aurais pu voler.
L'un des premiers, assurément,
était une toile d'Auguste Renoir,
le *Portrait de Madame Charpentier*.
Toile justement célèbre,
mais je n'en savais rien
et cela m'était égal.
Elle était exposée dans le petit musée
du Luxembourg, si regrettablement
disparu.

Positivement, elle rayonnait...
L'éclat charnel, une lumière intérieure
inépuisablement sourdant,
rayonnant, quels mots eussent pu
les exprimer ? Quelles investigations,
quelles analyses techniques,
les plus subtiles, les plus amplement
averties, qui n'eussent
de bonne foi renoncé
au seuil de l'inexplicable,
du don mystérieux et rare,
du miracle pictural ?
Recourir aux mots, il le faut bien,
même après ce que je viens d'écrire.
Si Renoir, dès cette lointaine
rencontre,
m'est apparu parmi les maîtres,
ceux que j'appelle "les miraculeux",

j'y trouvais de surcroît
une aisance, un bonheur,
une jeunesse
qui me gardaient dans ma propre
jeunesse, dans mon époque,
dans un élan vital,
dans son actualité merveilleuse.
Féru de Baudelaire,
de ce Nouveau qu'il exigeait,
je trouvais là une preuve enivrante
que le monde était
inépuisablement neuf,
qu'il suffisait d'un intercesseur
privilégié pour nous guider
vers l'insoupçonné, vers la poésie
des choses, les illuminations de l'art.
Voilà bien du lyrisme à propos
d'un portrait !
Comment en serait-il autrement ?
Quelle remontée aux sources vives que
n'accompagne cette sorte d'exaltation ?
Plus tard, sans avoir eu
le privilège
de rencontrer jamais Renoir,
j'ai connu de ses familiers.
J'ai su, de témoignages
directs, sa longue lutte,

sa vie difficile, le martyre
de ses dernières années.
J'ai pu voir,
dans la maison d'un de ses camarades
des Beaux-Arts, qui l'hébergeait
chez lui aux époques
de vaches par trop maigres,
les toiles qu'il y laissait
en manière de remerciement.
Elles devaient tant "monter"
par la suite qu'elles ont brouillé
entre eux les héritiers
de cet hôte généreux.
De ce juste retour des choses
ma tendresse eût encore grandi
si cela eût été possible.
Mais elle avait tout de suite atteint
le point de dilection parfaite
qui ne sera pas dépassé.
Il y avait suffi,
avant une éblouissante litanie
que je me récite à moi-même
(la Loge, le Moulin de la
Galette, les Baigneuses, les Filles
de Catulle Mendès, les Nus de
Gabrielle, et je n'en finirais pas),
d'une rencontre au Luxembourg.

SOUVENIRS
SUR MON FRÈRE

par EDMOND RENOIR

Comment, élève de Gleyre,
Auguste Renoir est-il devenu
ce qu'il est ?
Voici : En ce temps, bien plus encore
que maintenant, les rapins
s'en allaient en bande s'abattre
sur la forêt de Fontainebleau ;
ils n'y avaient pas leurs ateliers,
comme aujourd'hui – c'était un luxe
inconnu ;
les auberges de Chailly, de Barbizon
ou de Marlotte les recevaient tous,
grands comme petits,
et l'on s'en allait travailler dehors
le sac au dos.
C'est là que mon frère rencontra
Courbet, qui était l'idole
des jeunes peintres, et Diaz,
qui avait, à un plus haut degré

encore, leur admiration. C'est Diaz
qui lui donna la meilleure leçon
qu'il ait peut-être reçue de sa vie ;
c'est Diaz qui lui dit que
"jamais un peintre qui se respecte
ne doit toucher à un pinceau,
s'il n'a pas son modèle sous les yeux".
Cet axiome resta profondément gravé
dans la mémoire du débutant.
Il se dit que les modèles en chair
et en os coûtaient trop cher
et qu'il pouvait s'en procurer
dans de bien meilleures conditions,
la forêt étant là toute prête
à se laisser étudier à loisir.
Il y resta l'été, il y resta l'hiver,
et pendant des années.
C'est en vivant en plein air qu'il est
devenu le peintre du plein air.

Edmond
Renoir
pêchant à
la ligne.
Dessin à
la plume,
20 × 31 cm.
Collection
particulière,
Viroflay

Les quatre murs froids de l'atelier
n'ont pas pesé sur lui ;
le ton uniformément gris ou brun
des murs n'a pas alourdi son œil ;
aussi le milieu ambiant a-t-il sur lui
une énorme influence ; n'ayant aucun
souvenir des servitudes auxquelles
s'astreignent trop souvent les artistes,
il se laisse entraîner par son sujet
et surtout par le milieu dans lequel
il se trouve. C'est le caractère particulier
de son œuvre ; on le retrouve partout
et toujours depuis la *Lise,*
peinte en pleine forêt, jusqu'au
Portrait de Mme Charpentier et de ses
enfants, peint chez elle, sans que
les meubles aient été dérangés
de la place qu'ils occupent tous les jours,
sans que rien ait été préparé pour faire
valoir une partie ou autre du tableau.
Peint-il *le Moulin de la Galette ?*
Il va s'y installer pendant six mois,
lie des relations avec tout ce petit
monde qui a son allure à lui, que des
modèles copiant leurs poses
ne rendraient pas, et mêlé au
tourbillonnement de cette goguette
populaire, il rend le mouvement endiablé
avec une verve étourdissante.
Fait-il un portrait ? Il priera son modèle
de garder sa tenue habituelle,
de s'asseoir comme il s'assoit,
de s'habiller comme il s'habille,
afin que rien ne sente la gêne et la
préparation. Aussi son œuvre a-t-elle,
en dehors de sa valeur artistique,
tout le charme *sui generis* d'un tableau
fidèle de la vie moderne.
Ce qu'il a peint nous le voyons tous
les jours ; c'est notre existence propre
qu'il a enregistrée dans des pages

qui resteront à coup sûr parmi
les plus vivantes et les plus
harmonieuses de l'époque...
C'est en suivant dans son ensemble
l'œuvre de mon frère qu'on s'aperçoit
que le " faire " n'existe pas.
Dans aucun de ses ouvrages,
peut-être, on ne retrouve la même
façon de procéder, et cependant
l'œuvre se tient, elle a bien été sentie
du premier jour, et poursuivie
avec l'unique préoccupation d'arriver,
non à la perfection du rendu,
mais à la perception la plus complète
des harmonies de la nature.
Je vous ai promis vingt lignes
de portrait : l'air pensif, songeur,
sombre, l'œil perdu, vous l'avez vu
vingt fois traverser en courant
le boulevard ; oublieux, désordonné,
il reviendra dix fois
pour la même chose sans penser
à la faire ; toujours courant
dans la rue, toujours immobile
dans l'intérieur, il restera des heures
sans bouger, sans parler :
où est son esprit ? Au tableau qu'il fait
ou au tableau qu'il va faire ;
ne parle peinture que le moins
possible. Mais si vous voulez voir
son visage s'illuminer, si vous voulez
l'entendre — ô miracle ! —
chantonner quelque gai refrain,
ne le cherchez pas à table,
ni dans les endroits où l'on s'amuse,
mais tâchez de le surprendre
en train de travailler.

Edmond RENOIR

("Lettre à Emile Bergerat" in *La Vie Moderne,* Paris,
19 juin 1879.)

SA VIE ET SON ŒUVRE

1- L'INITIATION
A LA BEAUTÉ

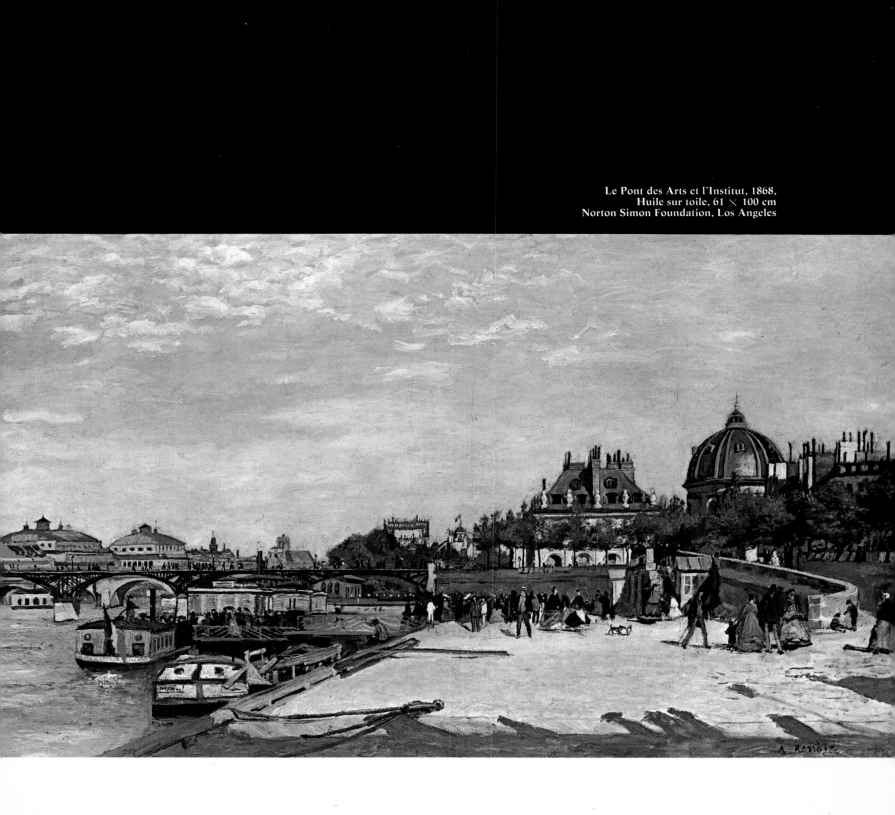

Le Pont des Arts et l'Institut, 1868,
Huile sur toile, 61 × 100 cm
Norton Simon Foundation, Los Angeles

"L'homme vit et se meurt dans ce qu'il voit, mais il ne voit que ce qu'il songe." Cette pensée profonde de Paul Valéry ne s'applique à personne mieux qu'à Renoir. Durant sa longue carrière, en effet, l'artiste ne voulut retenir de la réalité que ce qui lui plaisait et il s'efforça de représenter dans ses peintures et ses pastels, comme dans ses dessins, ses gravures et ses sculptures, ce qui fera toujours le bonheur des hommes : les enfants, les fruits, les femmes épanouies et les paysages heureux, tout inondés de lumière.

Pierre-Auguste Renoir naquit le 25 février 1841, à six heures du matin, à Limoges, au nº 4 du boulevard Sainte-Catherine (aujourd'hui 35, boulevard Gambetta). Ses parents, qui étaient de condition modeste, appartenaient à la petite bourgeoisie artisanale de la ville. Son père, Léonard Renoir, était tailleur de son métier. Sa mère, née Marguerite Merlet, ouvrière en robes, était originaire de Saintes.

Trois ans après la naissance de Pierre-Auguste, son sixième enfant, Léonard Renoir quitta Limoges pour "monter" à Paris avec toute sa famille. Il trouva un modeste logement au nº 16 de la rue de la Bibliothèque, près du Temple de l'Oratoire du Louvre. Hélas, les conditions de travail n'étaient guère plus faciles à Paris que dans le Limousin, et le tailleur éleva avec peine sa nombreuse famille.

A l'âge de sept ans, le futur peintre impressionniste entra chez les Frères des Ecoles chrétiennes, qui étaient installés dans les dépendances d'un couvent désaffecté, non loin des Tuileries. Il y apprit à lire, à écrire et à compter. On lui enseigna également des rudiments de solfège. Mais, en 1854, les parents de Pierre-Auguste, qui avaient remarqué son goût pour le dessin, le retirèrent de sa classe afin de le placer en apprentissage chez les frères

1

A l'école de dessin et d'arts décoratifs de la rue des Petits-Carreaux, puis, plus tard, à l'école des Beaux-Arts, Auguste Renoir copia les bas-reliefs antiques et dessina les nus allégoriques ou les scènes de genre, que lui proposaient ses maîtres. Il se montra toujours un élève consciencieux et appliqué, cherchant à comprendre les secrets de la tradition et les vertus de la discipline.

2

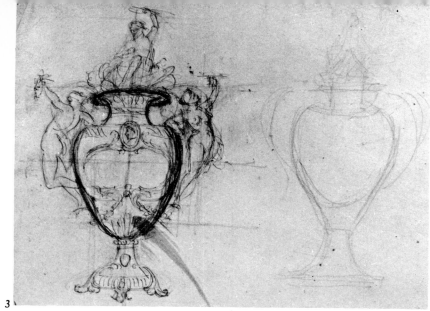

3

4

5

Dans l'atelier des frères Lévy, où il travailla pendant quatre ans, comme peintre de porcelaines, Renoir peignit des roses sur des assiettes et des bouquets de fleurs sur une théière ou sur un vase, décoré de plusieurs anses. Il aimait à en chercher les proportions dans des dessins préparatoires, dont certains ont été conservés (fig. 3).

C'est après 1860 que Renoir peignit ses premiers bouquets de fleurs des champs. Dans celui que nous reproduisons (fig. 4), l'artiste s'est efforcé de rendre scrupuleusement les formes, sans tomber dans l'académisme. On le sent hésitant. D'une part, il s'inspire de Courbet et de Fantin-Latour, en qui il reconnaît des maîtres et, d'autre part, il tend à se créer un style qui lui soit personnel.

6

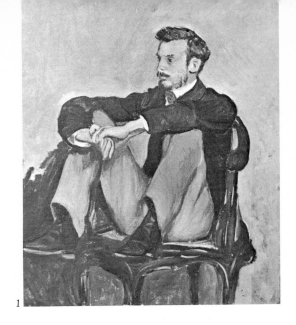

1

Lévy, peintres de porcelaines, au n° 70
de la rue des Fossés-du-Temple.
Dans l'atelier de ces bons artisans,
Auguste Renoir commença par peindre des assiettes en porcelaine. Très
vite, il devint un habile praticien et
ses patrons lui confièrent des travaux

2

3

plus difficiles, en particulier dessiner
le portrait de Marie-Antoinette au
flanc d'une théière ou représenter, sur
un vase, une Vénus entourée de
nuages. Presque chaque soir, Renoir
allait suivre les cours de l'Ecole de
dessin et d'arts décoratifs de la rue
des Petits-Carreaux, dirigée par le
sculpteur Callouette. C'est là qu'il se
lia étroitement avec l'un de ses condis-
ciples, Emile Laporte. Dans ses heures
de liberté, Pierre-Auguste aimait à se
promener dans les vieux quartiers de

Paris. Aux Halles, il découvrit un jour
avec émerveillement la Fontaine des
Innocents et ses bas-reliefs de Jean
Goujon, dont il se souviendra, trente
ans plus tard, lorsqu'il peindra
les Grandes Baigneuses.
Au printemps 1858, l'atelier des
frères Lévy connut des difficultés
croissantes. Un peu partout se répan-
daient des procédés d'impression mécanique qui venaient concurrencer le
travail à la main. La machine devait
supplanter l'ouvrier et Renoir se

retrouva sans travail. Aussi, afin de
gagner sa vie, il s'engagea chez
M. Gilbert, peintre de stores, au n° 63
de la rue du Bac. Pour son nouveau
patron, Renoir brossa des Vierges ou
des saint Vincent-de-Paul sur des ban-
des de toile que l'on pouvait rouler
et que les missionnaires, perdus dans
des pays lointains, accrochaient dans
leurs églises de fortune. Comme Renoir
travaillait rapidement, il peignait jusqu'à trois stores par jour que M. Gilbert lui payait trente francs pièce. Il

4

En séjour à Marlotte, durant l'été 1866, Renoir peignit sa première composition de grand format, Le Cabaret de la Mère Anthony, où s'affirme déjà une remarquable maîtrise. On reconnaît, à droite, Sisley, le chapeau sur la tête, en train de lire l'Evénement. En face de lui, croisant les bras, c'est le peintre Jules Le Cœur. La vieille femme, coiffée d'une marmotte et qui tourne le dos, n'est autre que la mère Anthony. A côté de la belle servante Nana, fille de l'aubergiste, qui dessert la table, Claude Monet, debout, roule une cigarette.

amassa ainsi un petit pécule, qui lui permit bientôt de réaliser son rêve : se vouer à la peinture.

Sur les conseils de son ami Laporte, Renoir décida alors de se présenter à l'Ecole des Beaux-Arts. Il passa les épreuves d'admission avec succès et fut admis au semestre d'été 68ᵉ sur 80. Le 1ᵉʳ avril 1862, il put s'inscrire dans les ateliers d'Emile Signol et de

5

Charles Gleyre, peintre suisse, que son tableau du *Soir (les Illusions perdues)* avait rendu célèbre.

Pendant son bref passage dans la vieille Maison du quai Voltaire, Renoir ne fut guère remarqué par ses professeurs, et il décrocha seulement de modestes récompenses. Il serait faux, cependant, de croire que le jeune étudiant s'amusait dans l'atelier de Gleyre. S'il peignait pour son plaisir, il n'en était pas moins un élève consciencieux, connaissant parfaitement l'importance des leçons qu'il payait de ses propres deniers, réunis avec peine. Mais surtout, à l'Académie libre du peintre vaudois, Renoir eut

le privilège de se lier avec trois artistes de son âge : le havrais Claude Monet, le montpelliérain Frédéric Bazille et le londonien, né à Paris, Alfred Sisley. Malgré leurs différences d'origines, de milieux, de tempéraments, les quatre jeunes gens deviendront rapidement des amis inséparables. Tous, ils prendront part à cette renaissance de la

peinture française, qui allait renouveler le contact entre l'homme, la nature et la lumière, et que l'on appellera l'Impressionnisme.

Quelques mois suffirent à Renoir pour comprendre que les idées que Gleyre professait sur l'art étaient aussi contraires que possible à sa propre manière de voir et à celle de ses amis.

1 Lise Tréhot à l'âge de seize ans, photographie
2 Diane chasseresse, 1867, huile sur toile, 197 × 132 cm
   The National Gallery of Art, Washington (D.C.), The Chester Dale Collection
3 En été ou la Bohémienne, 1868, huile sur toile, 85 × 62 cm
   National Galerie, Berlin (photo Steinkopf)
4 Lise, la femme à l'ombrelle, 1867, huile sur toile, 184 × 115 cm
   Folkwang Museum, Essen

16

4

1

C'est pourquoi son séjour à l'Ecole des Beaux-Arts fut de courte durée. Au printemps 1863, Renoir quitta l'atelier, entraînant avec lui ses amis, les futurs impressionnistes, pour aller peindre à la lisière de la forêt de Fontainebleau, en plein air, et, comme le dira plus tard Cézanne, "sur le motif". Un jour, dans une clairière, Renoir fit la connaissance du peintre Virgile-Narcisse Diaz, qui l'encouragea à éclairer sa palette. Une autre fois, il eut la joie de rencontrer Gustave Courbet, pour lequel il professait, comme son ami Bazille, une grande admiration. Il semble que le maître d'Ornans ait encouragé son jeune collègue et lui ait donné des conseils. En tout cas, la plupart des œuvres qu'entreprit Renoir, à ses débuts, portent la marque de l'influence du peintre de l'*Atelier* et de l'*Enterrement*.

Jusqu'à la guerre de 1870, Renoir

fit de nombreux séjours dans la forêt de Fontainebleau, prenant pension soit chez le père Paillard, à l'auberge du Cheval blanc, à Chailly-en-Bière, soit chez la mère Anthony, à Marlotte. A plusieurs reprises, également, il bénéficia de la généreuse hospitalité de son ami Jules Le Cœur, qui possédait une propriété ombragée à Marlotte, où il vivait en ménage avec

sa maîtresse, Clémence Tréhot, fille du maître de poste d'Ecquevilly, en Seine-et-Oise. Chez Jules Le Cœur, Renoir eut non seulement le privilège de pénétrer dans une famille aisée, ayant le goût des arts et de la littérature, mais il découvrit aussi un nouveau modèle en la personne de la sœur cadette de Clémence, la charmante Lise Tréhot.

"La Grenouillère" était un restaurant et un établissement de bains, situé dans le petit bras de la Seine, entre Chatou et Bougival. Elle était fréquentée par tout un peuple d'artistes, d'étudiants, de canotiers et de jolies filles, qui s'y retrouvaient pour danser et se baigner les dimanches et les jours de fête. Dans ses nouvelles, Maupassant a

souvent pris ce milieu pour décor. "C'était une fête perpétuelle et quel mélange de mondes ! racontera plus tard Renoir à son marchand Ambroise Vollard. On savait encore rire à cette époque ! La mécanique ne tenait pas tout dans la vie ; on avait le temps de vivre et on ne s'en faisait pas faute."

2

3

Dès sa première rencontre avec la jeune femme, dont la grâce rustique le séduisait, Renoir la pria de venir poser pour lui. C'est ainsi qu'il peignit plus d'une vingtaine de portraits de Lise, debout dans un parc, assise sur l'herbe ou vue dans un intérieur, en train de coudre. Il la représenta aussi en *Diane chasseresse* (1867), en *Femme à l'ombrelle* (1867), en *Bohémienne* se détachant sur un fond de verdure, et symbolisant *l'Eté* (1868), et enfin en *Odalisque* ou *Femme d'Alger* (1870), grand tableau qu'aurait pu signer Delacroix.

Dans plusieurs portraits de Lise, en particulier dans ceux qu'il envoyait au Salon, Renoir recourt à un métier encore traditionnel, à une facture lisse, à une gamme assez sombre. C'est par grandes localités, par glacis qui laissent transparaître les fonds de la préparation, et par teintes plates qu'il étend ses couleurs : des bruns chauds, des verts soutenus, des bleus éteints. Si, dans la *Diane chasseresse*, par exemple, il peint par larges empâtements, traités parfois au couteau, et s'il se sert d'une maçonnerie de couleurs, qui rappelle le maître d'Ornans, ailleurs, dans *la Femme à l'ombrelle*, *la Bohémienne* ou *la Promenade*, il utilise des procédés plus modernes qui annoncent la technique du *Moulin de la Galette*. Dès 1867, en effet, Renoir se montre un partisan convaincu de la peinture claire : il renonce aux préparations au bitume pour ébaucher son sujet directement sur la toile blanche ; il se sert d'ocre et de vermillon et remplace les terres de ses premiers portraits par des bleus qui mêlent la poésie de la lumière à la vie des formes. Il tend à une synthèse entre le programme du préimpressionnisme et son tempérament classique.

Si, pendant la belle saison, Renoir habitait en général chez ses vieux parents, à Ville-d'Avray, ou chez Jules Le Cœur, à Marlotte, il trouvait souvent asile pour l'hiver chez ses amis

1

De 1865 à 1872, une jeune femme, Lise Tréhot, qui était la seconde fille du maître de poste à Ecquevilly, en Seine-et-Oise, fut le modèle préféré de Renoir en même temps que sa maîtresse. En février 1870, Renoir peignit son amie en Femme d'Alger, vêtue d'un riche costume oriental qu'aurait aimé Delacroix. Plus tard, en avril 1872, il la représenta, une dernière fois, tenant une perruche devant sa cage entrouverte. Avec sa robe de taffetas noir à volants, rehaussée d'une ceinture rouge, Lise se détache sur un fond de plantes vertes. Renoir a voulu éviter ici la présentation banale et habituelle d'un portrait, en rendant très fidèlement l'atmosphère d'un salon Second Empire.

2

plus fortunés. De 1867 à 1870, il
partagea successivement l'atelier de
Sisley, à la Porte Maillot, puis ceux
de Frédéric Bazille, tout d'abord rue
Visconti, ensuite au nº 9 de la rue de
la Condamine, aux Batignolles. C'est
dans l'appartement du peintre montpelliérain qu'il exécuta un portrait,
charmant et singulier, de son ami.
Chaussé de pantoufles rouges, Bazille
est assis devant son chevalet, les
coudes aux genoux dans son attitude
favorite. La tête de l'artiste s'incline
légèrement ; tout son être est tendu
vers l'œuvre qu'il crée : une *Nature
morte au héron*.
C'est aussi chez Bazille que Renoir se
lia étroitement avec le dilettante
bordelais Edmond Maître. A la faveur
d'un petit emploi à la préfecture de
Paris, Maître jouissait d'une large
liberté. Musicien, amateur d'art,

lettré, il charmait ses amis par l'étendue de ses connaissances et par sa
sympathie agissante. Chez Maître,
Renoir rencontra de nombreux artistes
et écrivains : Fantin-Latour et Auguste
de Molins, quelquefois le sculpteur
Solari. Il fit aussi la connaissance du
librettiste Blau, du toulonnais Fioupou,
sous-chef au ministère des Finances et
grand collectionneur d'estampes, qui
racontait la vie des grands méconnus,
celle de Delacroix ou Baudelaire. Parfois, le photographe Carjat, l'ami de
Courbet et de Nadar, arrivait à
l'improviste. Riche, de bonne humeur,
il divertissait toute la compagnie par
ses accoutrements.
Volontiers aussi, Renoir et Bazille
se donnaient rendez-vous en fin
d'après-midi au café Guerbois, situé
au nº 11 de la Grand-Rue des Batignolles, à cinq minutes de leur atelier

de la rue de la Condamine. Là, ils
retrouvaient les anciens de l'atelier
Gleyre et ceux de l'Académie suisse,
groupés autour de leur chef et de leur
aîné, Edouard Manet. Au Guerbois,
ils pouvaient côtoyer également des
critiques comme Duranty, Armand
Sylvestre, Philippe Burty, Paul Alexis,
le romancier Emile Zola et son cama-
rade d'enfance Paul Cézanne, le dessi-
nateur Constantin Guys, le peintre
mondain Alfred Stevens.
La déclaration de guerre de l'Allema-
gne à la France, le 18 juillet 1870,
surprit Renoir en plein travail. Devant
l'invasion des troupes prussiennes,
l'artiste n'hésita pas à s'engager au
le 10e Chasseurs. Il fut envoyé en
garnison à Tarbes, puis à Libourne,
où il tomba gravement malade. Grâce
à son oncle, qui vint le chercher, il
fut soigné et sauvé à Bordeaux. Démo-

1 Claude Monet lisant, 1872, huile sur toile, 61 × 50 cm
   Musée Marmottan, Paris (photo Routhier)
2 Portrait de Madame Claude Monet, 1872, huile sur toile, 36 × 32 cm
   M. Arturo Peralto Ramos, Taos (New Mexico)
3 Madame Monet étendue sur un sofa, 1872, huile sur toile, 54 × 73 cm
   Fondation Calouste Gulbenkian, Lisbonne

bilisé le 15 mars 1871, Renoir se hâta de gagner Paris. Dès son arrivée dans la capitale, qui pansait ses blessures, il loua une chambre rue du Dragon, non loin de l'appartement d'Edmond Maître, rue Taranne. Sans perdre de temps, Renoir se remit au travail et peignit alors deux grands portraits, très proches par leurs sujets et par leur style : celui de la maîtresse de son ami, Rapha, regardant une cage à oiseaux, et celui de Lise Tréhot, plus connu sous le titre de *Femme à la perruche*.

En janvier 1872, alors que toute vie intellectuelle et artistique avait disparu de Paris, capitale en deuil, Renoir eut la chance de faire la connaissance de Paul Durand-Ruel. Présenté par ses amis Monet et Pissarro, il rencontra le marchand dans sa galerie de la rue Laffitte. A la suite d'entretiens très cordiaux, le futur défenseur des Impressionnistes se décida à acquérir des œuvres de Renoir. Le 16 mars 1872, il acheta au jeune peintre, pour la somme de deux cents francs, un premier paysage: *le Pont des Arts et l'Institut* (aujourd'hui dans la collection Norton Simon, à Los Angeles). Par cet acte de foi, Paul Durand-Ruel associa désormais sa carrière à celle de Renoir et de ses amis, dont il soutint courageusement le combat jusqu'à la victoire finale.

Au même moment où il entrait en relation avec Durand-Ruel, Renoir achevait une importante composition, représentant des *Parisiennes habillées en Algériennes*, qu'il présenta sans succès au Salon de 1872. Dans cette toile de grand format, on retrouve pour la dernière fois le grave et beau visage de Lise Tréhot. En effet, l'amie de Renoir épousa le 24 avril 1872 le jeune architecte Georges Brière de l'Isle. Dès lors, elle se voua entièrement à son mari et à sa famille et ne revit plus jamais celui dont elle avait été, pendant six ans, le modèle préféré.

1

En été 1872, Renoir vint séjourner pendant quelques semaines à Argenteuil, dans la maison qu'avait louée Claude Monet au bord de la Seine. Renoir profita de cette longue visite pour peindre plusieurs portraits de son compagnon de luttes et de sa jeune femme. Les deux plus célèbres représentent Claude Monet, le chapeau sur la tête et la pipe à la bouche, en train de lire son journal, et son épouse Camille, allongée sur une méridienne, à l'heure de la sieste. Née à Lyon en 1847, Camille

2

Doncieux devint, dès 1865, la compagne et le modèle de Claude Monet. Elle lui donna deux fils : Jean, mort prématurément avant la première guerre mondiale, et Michel qui légua, en 1866, au musée Marmottan la collection de toiles de son père et de ses amis impressionnistes, qu'il avait réussi à conserver dans la maison familiale de Giverny.

3

2 - A TRAVERS L'IMPRESSIONNISME

La Seine à Argenteuil, 1873, huile sur toile, 50 × 65 cm
The Portland Art Museum, Portland (Oregon)

1

En septembre 1873, Renoir s'installa sur la Butte Montmartre. Il loua un appartement sous le toit, au n° 35 de la rue Saint-Georges (qu'il occupa jusqu'en 1884). C'est dans ce nouveau domicile que notre peintre commença deux toiles, qui devinrent célèbres, et qu'il achèvera en 1874 : *la Loge* et *la Danseuse*.

Six mois plus tard, du 15 avril au 15 mai 1874, Renoir participa à la première manifestation des Impressionnistes ("société anonyme des Artistes Peintres, Sculpteurs, Graveurs"), à la galerie du photographe Nadar, 35, boulevard des Capucines, à Paris. Son envoi comprenait six tableaux et un pastel. Malheureusement, cette exposition rencontra peu de succès. "Le public, écrit Paul Durand-Ruel dans ses *Mémoires*, accourut en foule, mais avec un parti pris évident, et ne vit dans ces grands artistes que des ignorants présomptueux cherchant à se faire remarquer par des excentricités. Il y eut alors un soulèvement général de l'opinion contre eux et un redoublement d'hilarité, de mépris et même d'indignation qui gagna tous les cercles, les ateliers, les salons et même les théâtres où on les tournait en ridicule." Néanmoins, pendant l'exposition, Renoir réussit à vendre trois tableaux. Un petit marchand, le père Martin, lui acheta *la Loge* pour 425 francs.

A cette époque, Renoir avait l'habitude de se rendre souvent, en fin de journée, après le travail à l'atelier, au café de la Nouvelle Athènes, place Pigalle, où se retrouvaient les peintres indépendants et leurs amis. Il y rencontrait non seulement ses aînés Degas et Manet, mais aussi de jeunes peintres comme Franc-Lamy, Norbert Goeneutte et Frédéric Cordey. A la Nouvelle Athènes, Renoir se lia également avec le compositeur Emmanuel Chabrier, avec le musicien Cabaner, avec M. Lestringuez, fonctionnaire de l'Intérieur, et avec un employé du ministère des Finances, Georges Rivière, qui deviendra son meilleur biographe.

Pour essayer de sortir de ses difficultés financières, Renoir persuada ses amis Claude Monet, Alfred Sisley et Berthe Morisot, d'organiser des ventes publiques de leurs œuvres dans l'espoir de trouver des amateurs. La première vente eut lieu le 24 mars 1875, à l'hôtel Drouot. Elle fut le prétexte d'une manifestation désapprobatrice du public, assez violente pour nécessiter l'intervention de la police. La vente elle-même fut désastreuse. Les vingt toiles de Renoir ne réalisèrent que 2 251 francs, soit une moyenne d'un peu plus de cent francs par tableau.

Malgré l'échec de cette tentative, la vente du 24 mars eut quand même pour Renoir un heureux résultat. N'est-ce pas à cette occasion que l'artiste fit la connaissance d'un amateur alors inconnu de tous, M. Victor Chocquet (1821-1891) fonctionnaire de l'administration des Douanes ?

"M. Chocquet, devait raconter plus tard Renoir à son marchand Ambroise Vollard, était entré par hasard à l'hôtel Drouot pendant l'exposition de nos tableaux. Il avait bien voulu trouver à mes toiles quelque ressemblance avec les œuvres de Delacroix, son dieu. Le soir même de cette vente, il m'écrivit toutes sortes de compliments de ma peinture, en me demandant si je consentais à faire le portrait de Mme Chocquet ; j'acceptai son offre aussitôt." Par la suite, M. Chocquet demanda à Renoir plusieurs portraits de lui-même, de sa femme et de sa fille Marie-Sophie, morte en bas âge. Il devint l'un des défenseurs les plus convaincus du peintre, auquel il acheta de nombreux tableaux.

Au mois d'avril 1875, Renoir reçut une somme de 1 200 francs pour une grande composition, peinte l'année précédente, et intitulée *la Promenade* (aujourd'hui à la collection Frick à New York). A la faveur de cette rentrée inattendue, Renoir put louer deux

1

2

3

4

pièces sous le toiţ et une ancienne écurie au rez-de-chaussée d'un immeuble du XVIIᵉ siècle, rue Cortot, n° 12, à Montmartre. (Renoir gardera cet atelier et ce petit logis jusqu'en octobre 1876). Dans le jardin peu entretenu, mais charmant, qui s'étendait derrière la maison, Renoir peignit alors plusieurs portraits de l'actrice Henriette Henriot, du jeune modèle Nini Lopez et de Claude Monet, travaillant en plein air.

C'est encore sur la prairie paisible de la rue Cortot, puis dans l'enceinte du Moulin de la Galette que Renoir, au printemps 1876, ébaucha plusieurs toiles de grand format, qui comptent parmi ses œuvres les plus abouties : *la Tonnelle*, le *Nu au soleil*, la *Balançoire*, le *Moulin de la Galette*.

Dirigé par MM. Debray, père et fils, le bal du Moulin de la Galette était situé au sommet de la Butte Montmartre, en bordure de la rue Lepic. Il se composait d'un grand hangar, carré et bas de plafond, avec une estrade pour l'orchestre, et d'un jardin ombragé, où tout un peuple d'artistes, d'étudiants, d'ouvriers et de jolies filles se retrouvaient pour danser le dimanche après-midi et les jours de fête. Dès qu'il fut installé rue Cortot, Renoir forma le projet de peindre une vaste composition sur le thème de ce bal populaire. Il y réunit ses amis et ses

1   La loge, 1874, huile sur toile, 81 × 65 cm, The Courtauld Institute, Londres

2   Portrait de M. Chocquet, 1876, huile sur toile, 46 × 36 cm
Collection Oskar Reinhart, Am Römerholz, Winterthour

3   Portrait de Mme Chocquet en blanc, 1875, huile sur toile, 75 × 60 cm
Staatsgalerie, Stuttgart

4   Portraits de Marie-Sophie Chocquet, 1876, huile sur toile, 36 × 45 cm
Mme Florence Gould, Cannes

1

modèles. On reconnaît au premier plan, assise sur un banc, la jeune Estelle, en robe rayée (elle était la sœur de Jeanne, qui posa pour *la Balançoire*) ; à côté d'elle, Franc-Lamy, Norbert Goeneutte et Georges Rivière sont groupés autour d'une table chargée de verres de grenadine ; plus loin, Henri Gervex, Lestringuez et Paul Lhote figurent parmi les danseurs. Enfin, au milieu du tableau, vers la gauche, Marguerite Legrand, dite Margot, danse avec un peintre de haute taille, d'origine espagnole, Don Pedro Vidal de Solares y Cardenas, coiffé d'un feutre noir.

Dans cette toile radieuse, que s'em-pressa de lui acheter son ami le peintre Caillebotte, Renoir a poursuivi des recherches très proches de celles de ses camarades impressionnistes. Non seulement il a représenté une scène de la vie familiale, comme l'avaient fait Boilly, Granet, Drolling ou Bonvin, mais, comme Constantin Guys, il a su dégager du spectacle le plus ordinaire un frisson nouveau, rendre le banal étonnant et découvrir, selon le vœu de Baudelaire, la poésie toujours nouvelle de la modernité. Exposé à la troisième exposition des Impressionnistes, *le Moulin de la Galette* fut salué en termes particulièrement élogieux par Georges Rivière, dans *L'Impression-*

niste, n° 1, Paris, 6 avril 1877 : "C'est une page d'histoire, un monument pré-cieux de la vie parisienne, d'une exac-titude rigoureuse. Personne avant lui (Renoir) n'avait songé à noter quelque fait de la vie journalière dans une toile d'une aussi grande dimension ; c'est une hardiesse que le succès récompen-sera comme il convient. Ce tableau a pour l'avenir une portée très grande que nous tenons à signaler."

Durant sa période impressionniste (1872-1882), Renoir s'attacha, comme Monet, Berthe Morisot et Sisley, à la notation poétique des effets de la lumière, aussi bien dans ses nus que dans les portraits et les groupes qu'il situait dans un jardin. S'il continua longtemps, en particulier dans des chefs-d'œuvre tels que *la Loge* ou *la Danseuse,* à mélanger ses couleurs sur la palette et à travailler avec des glacis, il usa ailleurs — surtout dès 1876 — du mélange optique qui consiste à juxtaposer sur la toile de petites touches vives, des sortes de virgules colorées, qui se combinent dans l'œil du spectateur, tout en gar-dant leur pouvoir de vibration. Grâce à cette nouvelle méthode, qui conve-nait à sa spontanéité, Renoir parvint même dans des toiles de grand format à représenter les effets des taches de soleil, qui perçaient à travers les feuil-lages des arbres et qui venaient s'éta-ler, au hasard, en flaques dorées ou blanches, sur les visages et sur les robes de ses modèles.

Au mois de septembre 1876, lorsqu'il eut achevé *le Moulin de la Galette,* Renoir fit un séjour de trois semaines à Champrosay, chez Alphonse Daudet. Dans la maison de l'auteur du *Petit-Chose,* située à l'orée de la forêt de Sénart, il retrouva non seulement le souvenir de Delacroix, mais il eut encore le plaisir de converser avec son hôte, dont la sensibilité était si proche de la sienne, et de peindre un portrait du "visage si fin, si purement dessiné" de la jeune femme du romancier.

2

Après le retour de l'hiver, la situation matérielle de Renoir s'améliora légèrement. En effet, l'éditeur Georges Charpentier (1846-1905), qui avait acheté à la vente du 27 mars 1875 une toile de l'artiste représentant un *Pêcheur à la ligne*, exprima le désir de rencontrer le créateur de cette œuvre qu'il admirait. Invité dans l'hôtel de l'éditeur, au n° 11 de la rue de Grenelle, Renoir devint bientôt l'un des fami-

3

liers du salon de Mme Charpentier, née Marguerite Lemonnier. Dans ce salon, l'un des plus brillants de Paris, il put côtoyer des politiciens comme Gambetta et Jules Ferry, des peintres officiels, tels que Carolus Duran, de Nittis ou Henner, et surtout des écrivains : Emile Zola, Edmond de Goncourt, Théodore de Banville. Très vite, M. et Mme Charpentier commandèrent à Renoir plusieurs portraits : tout d'abord, ceux de leurs enfants, Paul et Georgette ; puis celui de la maîtresse de maison, entourée de son

4

Le Moulin de la Galette, 1876
Huile sur toile, 131 × 175 cm
Musée du Louvre, Paris

1 Georgette et Paul Charpentier, photographie. Collection Robida, Paris
2 La danse, 1876, huile sur toile, 46 × 28 cm
Collection particulière, Bâle (photo Paul Rosenberg et Co.)
3 Mlle Georgette Charpentier assise, 1876, huile sur toile, 98 × 73 cm
Collection particulière, New York
4 Maurice Leloir, le vernissage du Salon, 11 mai 1879
Dessin reproduit en gravure dans "la Vie moderne"
C'est au Salon de 1879 que fut exposé le "Portrait de Madame Charpentier et ses enfants"
5 Madame Georges Charpentier et ses enfants, 1878, huile sur toile, 154 × 190 cm
The Metropolitan Museum of Art, New York (The Wolfe Fund), 1907

1

2

3

fils, de sa fille et de son chien Porto, dans le salon japonais de la rue de Grenelle. A cette dernière et importante composition (154 × 190 cm), Renoir ne consacra pas moins de quarante séances de travail.

Grâce à l'influence des Charpentier et grâce à leurs nombreuses relations, la toile de Renoir fut exposée en bonne place au salon de 1879, accrochée à la cimaise, à 1,20 m du sol. Le public se pressa pour l'admirer et la critique unanime entonna un concert de louanges en l'honneur de Renoir. Dans son compte rendu du Salon, publié dans *le Siècle*, Castagnary

4

5

caractérisa très justement les éléments constituant "l'art vivace" du peintre. "Son *portrait de Mme Charpentier et de ses Enfants* est une œuvre des plus intéressantes... Une brosse agile et spirituelle a couru sur tous les objets qui composent cet intérieur charmant ; sous ses touches rapides, ils se sont disposés avec cette grâce vive et souriante qui fait l'enchantement de la couleur."

Devant ce succès si inattendu, Pissarro écrivit le 27 mai 1879 à son ami, le pâtissier Eugène Murer : "Je crois que Renoir est lancé. Tant mieux ! C'est si dur la misère."

3 - LA CONQUÊTE DU CLASSICISME

Le déjeuner des canotiers, 1881
Huile sur toile, 128 × 173 cm
The Phillips Collection, Washington

1 **Madame Renoir au chien**, 1880, huile sur toile, 32 × 41 cm
Collection particulière, Paris

2 **Alphonsine Fournaise dans l'île de Chatou**, 1879, huile sur toile, 71 × 92 cm
Musée du Louvre, Paris (photo Josse)

3 **Petit nu bleu**, 1879, huile sur toile, 46 × 38 cm
The Albright Art Gallery, Buffalo

4 **La baigneuse blonde**, 1882, huile sur toile, 90 × 63 cm. Collection particulière, Turin

1

2

Lorsqu'il n'était pas invité chez le pâtissier Eugène Murer ou chez d'éditeur Charpentier, Renoir prenait ses repas "chez Camille", une crémière établie en face de son appartement de la rue Saint-Georges. C'est là qu'il rencontra, en février 1880, une jeune modiste, originaire d'Essoyes, dans l'Aube, Aline Charigot, qui était âgée de vingt ans. Elle habitait chez sa mère, qui exerçait le métier de couturière depuis que son mari l'avait brusquement délaissée pour les Etats-Unis. Comme l'atelier de Renoir était proche de l'appartement de Mme Charigot, la jeune Aline vint souvent y poser. Très vite les sentiments de l'artiste pour son modèle passèrent de l'amitié à l'amour. Le dimanche, le couple se rendait aux environs de Paris, à Chatou ou à la Grenouillère, dans l'île de Croissy. Renoir y admirait la démarche de sa compagne. "Elle foulait l'herbe, disait-il, sans lui faire de mal." Parfois, Aline s'asseyait au milieu d'un pré avec son chien. C'est ainsi que Renoir la peignit au premier printemps, la figure chiffonnée, le nez en l'air, coiffée d'un chapeau de paille et tenant dans ses mains un bouquet. Pendant l'été 1880, Renoir fit de nombreux séjours à Chatou, chez le père Fournaise, qui tenait une auberge, fréquentée par les canotiers et leurs amies. Déjà, l'année précédente, il avait peint un délicieux portrait de la fille du limonadier, Alphonsine Fournaise, assise à la terrasse du restaurant familial. Cette fois, il voulut entreprendre, dans le même cadre, une œuvre de grandes dimensions, qui égale et surpasse *le Moulin de la Galette*. "Je n'ai pu résister, écrit le peintre à son ami Paul Bérard, d'envoyer promener toutes décorations lointaines et je fais un tableau de canotiers qui me démangeait depuis longtemps. Je me fais un peu vieux et je n'ai pas voulu retarder cette petite fête dont je ne serai plus capable de faire les frais plus tard, c'est déjà très dur... Il faut de temps en temps tenter

des choses au-dessus de ses forces."
Renoir commença à peindre en plein
air, sur la terrasse ombragée du restaurant Fournaise, *le Déjeuner des
canotiers*, dont il rêvait, et il le ter-
mina à l'atelier, pendant l'hiver 1880-
1881. La scène représente la fin d'un
repas animé. Autour du cafetier-auber-
giste, on reconnaît les amis et les
modèles de Renoir : le baron Barbier,
le journaliste Maggiolo, collaborateur
du *Triboulet*, le financier Charles
Ephrussi, Paul Lhote et Lestringuez,
mais aussi la belle Angèle et les actri-
ces Ellen Andrée et Jeanne Samary.
Au premier plan du tableau, assise
devant la table non desservie, une
jeune femme qui tient un petit chien
dans les mains, attire l'attention par
son visage épanoui : c'est Aline Charigot, qui deviendra bientôt l'épouse
du peintre.

En automne 1880, les soucis financiers
de Renoir diminuèrent comme par
enchantement. C'est que la renom-
mée de l'artiste comme "faiseur de portraits" s'était largement répandue.
"J'ai commencé un portrait ce matin,
écrivait Renoir à sa bienfaitrice,

*Lors de son séjour à Naples, pendant l'hiver
1881, Renoir peignit une jeune femme nue,
assise au bord de la mer :* la Baigneuse
blonde. *De retour à Paris, Renoir donna
cette œuvre capitale, qui marque le début
de son époque "aigre", à son ami, le
diamantaire Henri Vever. Devant le succès
de cette œuvre et à la demande de Paul
Durand-Ruel, Renoir en exécuta, au printemps 1882, une réplique, qui possède toutes les beautés de la première version. Par
l'éclat de sa peau blanche et rose et par
ses formes opulentes délimitées par de purs
contours, cette jeune femme radieuse rappelle les plus belles créatures d'Ingres et
annonce celles de Maillol. "Pour moi,
disait Renoir, mon souci a toujours été de
peindre des êtres tels de beaux fruits."*

1

Mme Charpentier. J'en commence un autre ce soir et je vais après pour un troisième probablement." Grâce au diplomate Paul Bérard, Renoir entra en relation avec le banquier Georges Grimprel, qui lui commanda aussitôt les portraits de son fils et de ses deux filles. Chez Charles Ephrussi, il rencontra M. Cahen d'Anvers, qui le chargea de peindre sa fille Irène, à la chevelure ardente. Enfin, sur la recommandation de Théodore Duret, M. Turquet, ancien sous-secrétaire des Beaux-Arts, demanda à Renoir de représenter sa femme et sa fille, en robes de gala, comme si elles assistaient à une première dans leur loge de théâtre.

Fatigué de Paris et désireux de "renouveler sa vision", Renoir se décida brusquement à partir, en février 1881, pour l'Algérie, avec son ami le peintre Cordey. Peu après leur arrivée sur cette terre d'Afrique, qui avait enchanté Delacroix, les deux artistes furent rejoints par Lestringuez et Paul Lhote. "J'ai voulu voir ce que c'était que le pays du soleil, écrit Renoir à Théodore Duret le 4 mars. Je suis mal tombé car il n'en fait guère dans ce moment-ci. Mais c'est tout de même exquis, une richesse de nature extraordinaire." Durant ce premier voyage à Alger, qui dura près d'un mois — et pendant un second séjour, une année plus tard — Renoir peignit plusieurs figures de femmes indigènes, des paysages, en particulier un *Champ de Bananiers* et *le Ravin de la Femme sauvage*, et surtout des études de types arabes dans la Casbah.

2

Durant ses deux séjours à Alger, en 1881 et 1882, Renoir peignit de jeunes femmes arabes, des études d'indigènes, un jeune garçon du nom d'Ali, et aussi une Française en costume exotique. "Me voici installé à peu près à Alger, écrivait l'artiste à Paul Durand-Ruel en mars 1882, et en pourparlers avec des arabes pour trouver des modèles... J'ai vu des enfants inouïs de pittoresque... de jolies femmes..."
L'Algérienne de la collection Thannhauser est l'une de ces jolies femmes. Par l'élégance de ses lignes, ce portrait annonce les œuvres de la période "ingresque". En quelques arabesques précises, Renoir réussit à nous faire sentir l'indéfinissable rayonnement d'un visage de jeune indigène. Il sait noter les grands yeux sombres, le contraste du regard insistant et du sourire de la bouche, à peine ébauché, le naturel du geste, le modelé de la main, le négligé du voile jeté sur les épaules.

De retour d'Afrique, Renoir se prépara à un nouveau dépaysement. A la fin du mois d'octobre 1881, en pleine crise morale et artistique, le peintre partit pour l'Italie. Il passa rapidement par Milan et s'arrêta à Venise, où il peignit la basilique Saint-Marc et des gondoliers sur le Grand Canal. "J'ai fait le palais des Doges vu de Saint-Georges en face, écrivit Renoir à Charles Deudon, ça ne s'était jamais fait, je crois. Nous étions au moins six à la queue leu leu !"

De Venise, Renoir se rendit à Florence, où il fut émerveillé par *la Vierge à la*

3

Chaise de Raphaël au palais Pitti ; puis il descendit jusqu'à Rome afin d'étudier les fresques de la Farnésine et les stances du Vatican. Le 21 novembre 1881, installé à Naples, dans l'auberge de la Trinacria, il écrivit à Paul Durand-Ruel une longue lettre qui laisse transparaître son inquiétude: "Je suis comme les enfants à l'école, la page blanche doit toujours être bien écrite et paf ! un pâté. J'en suis encore aux pâtés, et j'ai quarante ans. J'ai été

5

1   **Portraits de Charles et Georges Durand-Ruel, 1882, huile sur toile, 65 × 81 cm**
    Collection Durand-Ruel, Paris

2   **La danse à la campagne (1883), dessin à la plume, 49 × 31 cm**
    Mr. and Mrs. Norton Simon, Los Angeles

3   **La danse à la campagne, 1883, huile sur toile, 180 × 90 cm. Collection Durand-Ruel, Paris**

4   **La danse à la ville, 1883, huile sur toile, 180 × 90 cm. Collection Durand-Ruel, Paris**

1

sans en rapporter quelque chose et il fait un temps ! Le printemps avec un soleil doux et pas de vent, ce qui est rare à Marseille. De plus j'y ai rencontré Cézanne et nous allons travailler ensemble." Malheureusement, en peignant en plein air, Renoir contracta une mauvaise grippe, qui dégénéra bientôt en pneumonie.

Fortifié par la douceur du climat méditerranéen, Renoir récupéra bientôt toutes ses forces et il put regagner Paris. Il y retrouva, et avec quelle joie, son amie Aline qui l'avait attendu patiemment. Il semble que ce fut au mois de mai 1882 que le peintre et la jeune femme se décidèrent à se

2

voir les Raphaël à Rome. C'est bien beau et j'aurais dû voir ça plus tôt. C'est plein de savoir et de sagesse. Il ne cherchait pas comme moi les choses impossibles, mais c'est beau." En décembre, Renoir visita la Calabre, Pompéi et Sorrente. Il séjourna aussi à Capri, où il peignit quelques nus et un chef-d'œuvre, *la Baigneuse blonde*, qu'il exécuta dans une barque de pêcheurs à la lumière ensoleillée de la baie.

Au début de l'année suivante, le 12 janvier 1882, Renoir quitta Naples pour se rendre en Sicile, afin d'essayer de faire un portrait de Richard Wagner, que lui avait commandé son ami, M. Lascoux, conseiller à la Cour de cassation et grand mélomane. Après une traversée assez mouvementée, le peintre arriva à Palerme. Wagner, qui habitait à l'hôtel des Palmes, venait de mettre la dernière main à la partition de *Parsifal*. Le 15 janvier, il accorda à l'artiste un bref entretien. En trente-

cinq minutes, Renoir brossa un saisissant portrait du compositeur. A la fin de la séance, Wagner se fit présenter la toile encore fraîche : "Ah ! Ah ! s'écria-t-il, je ressemble à un prêtre protestant."

A son retour d'Italie, Renoir s'arrêta aux environs de Marseille et vint séjourner quelques jours à l'Estaque, à l'hôtel des Bains. Le 23 janvier 1882, il écrivit à Durand-Ruel : "J'étais à l'Estaque, un petit endroit comme Asnières, mais au bord de la mer. Comme c'est très beau ma foi, j'y reste encore une quinzaine. Ce serait vraiment dommage de quitter ce beau pays

En automne 1882, à la demande de Paul Durand-Ruel, Renoir mit en chantier deux tableaux de mêmes dimensions sur le thème de la danse, l'un à la ville, l'autre à la campagne. Comme l'a bien noté Jean-Louis Vaudoyer : "Il ne s'agit plus de deux modèles qui posent passivement mais de deux êtres humains qui vivent un moment mémorable de leur existence." Pour le premier tableau (fig. 3), Renoir fit poser sa future

femme, Aline Charigot, et son ami le peintre Paul Lhote. Pour le second (fig. 4), c'est de nouveau Paul Lhote qui servit de modèle pour la figure du danseur, mais c'est une jeune acrobate du cirque Molier, Maria Clémentine, qui posa pour la danseuse. (Elle devait se faire connaître plus tard comme peintre sous le pseudonyme de Suzanne Valadon).

3

4

Dès 1882, Renoir rêva de peindre une composition de grand format, représentant les jeux de quelques baigneuses, dont les unes sont assises au bord de la rivière, les autres debout dans l'eau. Commencé au retour d'Italie et longuement élaboré, ce tableau ne fut achevé qu'au printemps 1887 (cf. p. 47, fig. 3), et exposé au Salon de la même année. On sait que pour l'ordonnance de l'ensemble, Renoir s'inspira d'un bas-relief en plomb de Girardon, le Bain de Diane, qui orne le beau bassin de l'allée des Marmousets, dans le parc de Versailles (fig. 1). Après avoir appartenu au peintre Jacques-Emile Blanche, les Grandes Baigneuses fut acheté en 1928 par le collectionneur américain Carroll S. Tyson, qui le légua à sa mort au musée de Philadelphie.

Avant d'ébaucher la version définitive des Grandes Baigneuses, Renoir peignit non seulement deux esquisses à l'huile (l'une appartient aujourd'hui à M. Paul Pétridès, à Paris (fig. 3), l'autre est conservée au musée Masséna de Nice (cf. p. 46, fig. 1), mais il accumula surtout des dessins de l'ensemble et des études de détails. Il vaut la peine de se pencher sur ces nombreuses études, qui sont d'une densité et d'une exactitude linéaire inattendues, pour comprendre quelle était la méthode de travail de l'artiste. Avant d'attaquer sa grande toile, Renoir exécuta toute une série de dessins à la mine de plomb ou à la sanguine dans l'esprit de son sujet. Qu'ils représentent une figure isolée (fig. 4 et 5, et p. 46, fig. 2), ou une vue de l'ensemble (fig. 2 et 3), Renoir les considérait comme des exercices préalables, comme une sorte d'entraînement à l'œuvre définitive. Au cours de ses recherches, Renoir avait remarqué que telle forme qui s'adapte aux petites dimensions d'une feuille de papier ne s'accommode pas des mesures plus grandes d'une toile ou d'un carton. C'est pourquoi il n'utilisait pas le procédé qui consiste à agrandir au carreau des notes prises sur nature. Plutôt que d'user de cet artifice, il préférait réaliser, du premier coup, de grands dessins qu'il pouvait ensuite décalquer sur sa toile. C'est ce qu'il fit pour les Grandes Baigneuses.

Après une visite à Renoir, dans son atelier de la rue Laval, Berthe Morisot devait noter dans son Carnet, le 1er janvier 1886, ces quelques remarques clairvoyantes : "Toutes ces études préparatoires pour un tableau seraient curieuses à montrer à un public qui s'imagine généralement que les impressionnistes travaillent avec la plus grande rapidité. Je ne crois pas qu'on puisse aller plus loin dans le rendu de la forme d'un dessin. Ces femmes nues entrant dans la mer me charment au même point que celles d'Ingres. Renoir me dit que le nu lui paraît être une des formes indispensables de l'art."

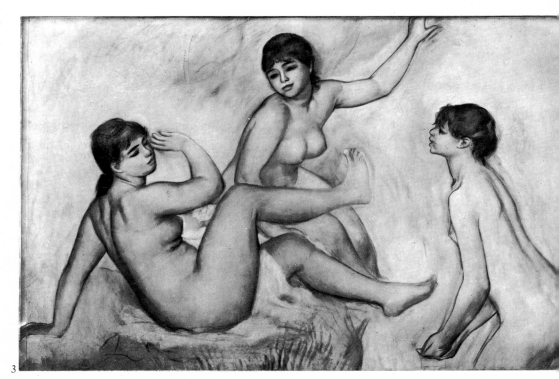

1 Le bain des nymphes, bas-relief de François Girardon (1628-1715) pour le bassin de l'allée des Marmousets, à Versailles (photo Giraudon)

2 Deux baigneuses, 1884-1885, dessin à la mine de plomb, 27 × 43 cm Collection particulière, New York

3 Trois baigneuses, 1884-1885, dessin à la mine de plomb, 108 × 162 cm Musée du Louvre, Paris (photo Giraudon)

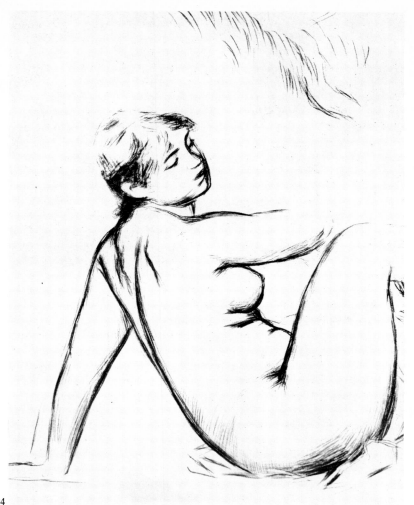

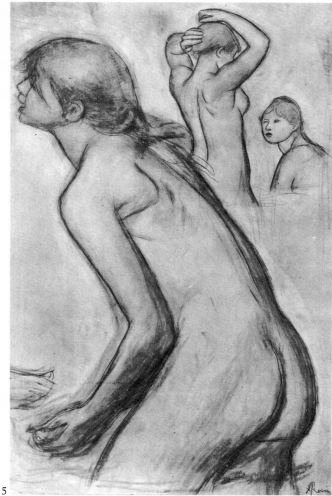

4   Etude pour "Les grandes baigneuses", 1885, détail - dessin à la plume, 32 × 25 cm
    Collection particulière, Paris

5   Etude pour "Les grandes baigneuses", 1885, sanguine, 80 × 60 cm
    Collection particulière, Paris (photo Robert Schmit)

6   Esquisse pour "Les grandes baigneuses", 1884-1885, huile sur toile, 62 × 95 cm
    M. Paul Pétridès, Paris

mettre en ménage. C'est aussi à cette époque que Renoir exécuta une seconde version de *la Baigneuse* blonde, à la demande de Paul Durand-Ruel — qui la vendit bientôt à Paul Gallimard —, puis les portraits des cinq enfants du marchand : Joseph, Charles, Georges, Marie-Thérèse et Jeanne Durand-Ruel. En automne, Renoir mit en chantier deux grandes compositions sur le thème de la danse,

dessiner. En un mot, j'étais dans une impasse." Cette déclaration (1) de Renoir à Ambroise Vollard, qui fut un peu au peintre ce que fut Eckermann pour Goethe, est significative. En effet, à la suite de son voyage en Italie, pendant lequel il découvrit les antiques de Naples et les fresques de Pompéi, et surtout après avoir médité le *Traité de la Peinture* de Cennino Cennini, Renoir passa par une crise profonde.

pas le temps de vous occuper de la composition, et puis, dehors, on ne voit pas ce qu'on fait (2)." En effet, prétendre fixer un instant dans une nature sans cesse mobile est une gageure. L'expression du modèle se modifie, le soleil tourne, les nuages passent, les feuilles des arbres frissonnent. Bien plus, et Renoir le ressentit très fortement, l'obsession du plein air mène tout droit à la suppression de

1

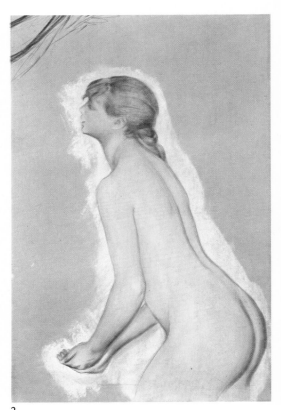

2

la première à la campagne, la seconde à la ville. Mais, ce n'est qu'au début de l'année 1883, qu'il put les terminer. Ces peintures marquent le début de la période ingresque (1883-1887), que Renoir appelait aussi sa "manière aigre". "Vers 1883, il s'était fait comme une cassure dans mon œuvre. J'étais allé jusqu'au bout de l'Impressionnisme, et j'arrivais à cette constatation que je ne savais ni peindre ni

Tout d'abord, il se rendit compte instinctivement qu'il était dangereux de travailler en plein air, d'après nature, sur le motif. "Dehors, nous dit-il, on a une variété de lumière plus grande que la lumière de l'atelier, toujours la même, mais, précisément, dehors vous êtes pris par la lumière ; vous n'avez

1 - Ambroise Vollard, *Renoir*, Paris, 1920, p. 135.
2 - Ambroise Vollard, op. cit. p. 135.

46

1 **Les grandes baigneuses, 1885-1902, huile sur toile, 115 × 168 cm. Musée Masséna, Nice**
2 **Etude pour "Les grandes baigneuses", vers 1884, crayon noir, crayon rouge et craie blanche, 98 × 64 cm. The Art Institute of Chicago, Chicago (Ill.)**
3 **Les grandes baigneuses, 1887, huile sur toile, 115 × 170 cm**
 The Philadelphia Museum of Art, Philadelphie (Collection Carroll S. Tyson)

3

la forme et du dessin. Elle a pour effet paradoxal de conduire à l'inconsistance.

Pour toutes ces raisons, Renoir se décida à se remettre à l'école des maîtres et à prendre pour guides, dans ce nouvel apprentissage, le Raphaël de la Farnésine et l'Ingres de *la Source* et du *Portrait de Mme Rivière*. Brûlant

alors ce qu'il avait adoré, Renoir se mit à dédaigner la traduction de l'atmosphère et rechercha surtout le style et la précision du dessin. Par crainte d'avoir trop cédé à la grâce et à la facilité, il s'imposa une sévère discipline.

Les deux versions de *la Baigneuse blonde*, *la Jeune Fille au cygne*, les

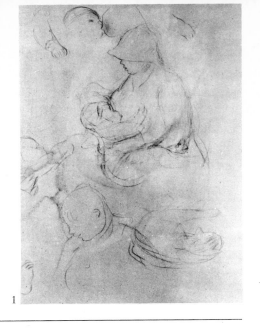

1 **Maternité (Mme Renoir et son fils Pierre), 1885, dessin au crayon noir, 10,5 × 7,5 cm**
   Collection particulière, Paris
2 **Maternité, 1885, sanguine avec rehauts de craie blanche, 75 × 54 cm**
   Collection particulière, Londres
3 **Maternité, 1916, bronze, H. 54 cm. M. Alex Maguy, Paris**
4 **Maternité, 1885, dessin à la plume, 26 × 19 cm. Collection particulière, Londres**
5 **Maternité ou femme allaitant son enfant, 1886, huile sur toile, 81 × 65 cm**
   Collection particulière, New York

2

3

d'hui rue Victor-Massé, le second, qui comprenait quatre pièces et une cuisine, au n° 18 de la rue Houdon. C'est là que naquit, le 21 mars 1885, Pierre Renoir, fils aîné de l'artiste. Dès lors, Renoir se consacra à sa vie de famille et, de plus en plus, il limita son horizon à son foyer. Comme l'a

Jeunes Filles au volant, et surtout les dessins, les sanguines et les nombreuses variantes à l'huile des *Grandes Baigneuses* sont caractéristiques de cette nouvelle manière. Dans ces œuvres, un seul cerne suffit souvent à l'artiste pour faire sentir le poids d'un sein, le léger fléchissement de la hanche, la courbe d'un bras ou la torsion d'un corps qui se redresse. Avec un art consommé, Renoir sait unir pureté et volupté.

Lorsque sa jeune femme attendit son premier enfant, Renoir chercha un logement plus confortable et il loua, en automne 1883, un atelier et un appartement séparés. Le premier était sis au n° 37 de la rue Laval, aujour-

bien montré Jean Renoir dans son livre sur son père : "Plus important que les théories fut à mon avis le passage de Renoir de l'état de célibataire à celui d'homme marié. Cet agité, incapable de rester en place, sautant dans un train, dans l'espoir vague de jouir de la lumière tamisée de Guernesey, ou de se perdre dans les

4

5

1 **Les filles de Catulle Mendès**, 1888, huile sur toile, 163 × 130 cm
   The Hon. et Mrs. Walter H. Annenberg, Londres
2 **Pierre Renoir dessinant**, 1888, huile sur toile, 26 × 34 cm. Collection particulière, New York
3 **Renoir vers 1890**, photographie. Collection Mme Ernest Rouart, Paris
4 **La palette de Renoir**

2

3

reflets roses de Blida, avait oublié depuis son départ de la rue des Gra-villiers le sens du mot foyer. Et voilà qu'il se trouvait soudain dans un appartement avec une femme ; des repas à heure fixe, un lit soigneuse-ment fait et des chaussettes reprisées. Et à tous ces avantages allait s'ajouter bientôt celui d'un enfant. L'arrivée de mon frère Pierre devait être la grande

révolution dans la vie de Renoir. Les théories de la Nouvelle Athènes se trouvaient dépassées par une fossette à l'articulation d'une cuisse de nou-veau-né" (3).
Les différentes versions de *la Mater-nité*, qui datent de 1885 et 1886, sont caractéristiques de cette nouvelle orien-

3 - Jean Renoir, *Renoir*, Paris, 1962, p. 243.

Catulle Mendès, qui épousa un compositeur de talent, Augusta Holmes, fut, de son vivant, un poète très populaire. En 1888, il demanda à Renoir de faire le portrait de ses trois filles, réunies autour du piano de son salon. On reconnaît de gauche à droite : la seconde fille de l'écrivain, Claudine, qui tient un violon (elle devint plus tard la femme de Mario de la Tour Saint-Ygest, disciple de Lecomte de Lisle), puis sa sœur aînée, Huguette, assise, les mains sur le

clavier, qui épousa, en 1898, le romancier Henri Barbusse, l'auteur du Feu. Comme il n'était pas riche, Mendès ne put offrir au peintre qu'une somme de cent francs pour cette toile de grand format, considérée au-jourd'hui comme l'un des chefs-d'œuvre de l'artiste. En 1890, Renoir exposa ce tableau au Salon, auquel il n'avait plus participé depuis 1883, car il était considéré alors comme un peintre révolutionnaire.

4

1

---

tation de l'art de Renoir. Avec un charme et un naturel incomparables, l'artiste a su y évoquer sa jeune femme, vêtue d'une ample jupe bleue et coiffée d'un chapeau de paille, en train d'allaiter son fils Pierre, sur un banc de jardin à Essoyes. Tout ici n'est que

2

3

rondeurs. La mère et l'enfant sont pareils à des épis bien pleins ou à des fruits pesants, mûris sous un soleil d'été. Renoir était tellement attaché à cette suite de peintures, de pastels, de sanguines et de dessins à la craie noire, consacrées à la première maternité d'Aline que, trente ans plus tard, en 1916, il demanda au sculpteur Richard Guino d'exécuter, pour son compte et sous sa direction, une sculpture sur le même thème.

De son premier enfant, Renoir a laissé plusieurs images d'une intense fraî-

Durant l'été et l'automne 1890, Renoir peignit fréquemment des scènes champêtres, ce qui lui permettait d'évoquer le charme et la simplicité de la vie quotidienne. Ainsi, dans les différentes versions de la Marchande de pommes, il a saisi sur le vif sa jeune épouse, son premier fils Pierre et son neveu Edmond Renoir Jr., assis sur l'herbe,

à l'heure du goûter près d'Essoyes.
Ailleurs, dans la Cueillette des Fleurs, il a représenté deux estivantes qui se reposent. Avec leurs longues chevelures, leurs robes légères et leurs chapeaux garnis de rubans aux couleurs vives, elles s'intègrent merveilleusement dans le paysage tout inondé de lumière.

1 **La marchande de pommes, 1890, dessin au crayon, 48 × 53 cm**
   Collection particulière, New York
2 **Petite fille à la gerbe, 1888, huile sur toile, 65 × 54 cm**
   Musée d'Art Moderne, Sao Paulo (Brésil)
3 **La marchande de pommes, 1890, huile sur toile, 65 × 54 cm**
   The Cleveland Museum of Art, Cleveland. Collection Leonard C. Hanna jr.
4 **Dans la prairie ou la cueillette des fleurs, 1890, huile sur toile, 81 × 65 cm**
   The Metropolitan Museum of Art, New York

4

1 **Jeunes filles au bord de la mer**, 1894, huile sur toile, 55 × 46 cm
Collection privée suisse
2 **Nu au chapeau de paille**, 1892, huile sur toile, 41 × 32 cm. Collection particulière, Paris
3 **Portrait de jeune fille**, vers 1890, sanguine, 44,2 × 35 cm
Collection particulière, Paris
4 **Baigneuse assise sur un rocher**, 1892, huile sur toile, 81 × 65 cm
Collection particulière, Paris

Renoir commença à cette époque à pouvoir compter sur les achats de nouveaux marchands. En effet, en dehors de Paul Durand-Ruel, très absorbé par son installation aux Etats-Unis, voici que non seulement Georges Petit, mais aussi Boussod et Valadon, et surtout la puissante maison Knoedler, commencèrent à s'intéresser à lui. Des courtiers actifs, tels que Legrand,

cheur de vision. C'est qu'après avoir connu l'obligation des travaux de commandes, qui parfois ne lui souriaient guère, Renoir était heureux de pouvoir peindre un jeune garçon en liberté et de nous restituer pour l'éternité son visage d'un instant. En veut-on un exemple ? Dans un tableau de 1888, Renoir a su représenter avec une particulière tendresse le petit Pierre, âgé de trois ans qui, de ses mains potelées, s'essaie à dessiner sur une feuille blanche. Lorsque l'on compare ce portrait aux photographies de Pierre

Renoir, prises à l'apogée de sa carrière, on mesure quelle était la scrupuleuse probité de l'artiste devant son modèle. Dans ce petit écolier joufflu, aux yeux rêveurs et au front expressif, on reconnaît déjà celui qui fut, avec Jouvet, l'un des premiers acteurs de l'entre-deux guerres.
Au cours de la même année, en avril 1888, Renoir entreprit le portrait des trois filles du poète Catulle Mendès, réunies autour du piano de leur salon. Heureusement qu'en plus de ce tableau de commande, chichement rétribué,

54

3

4

1

2

3

Portier ou Heymann, s'efforcèrent
aussi de placer chez les amateurs des
toiles de Renoir et de ses amis.

En été 1888, Renoir séjourna à Argenteuil, à Bougival, et au Petit-Genevil-
liers, chez son ami Caillebotte. Sur les
rives de la Seine, il peignit plusieurs
nus, des baigneuses, une *Fillette à la
gerbe*, et trois versions légèrement différentes de la *Jeune Fille portant une
corbeille de fleurs*. Après cette période
d'intense activité, Renoir traversa une
période de profond découragement.
S'il brossa, pour se délasser, de petites
pochades d'après son fils Pierre et son
neveu Edmond Renoir Jr., il ne réussit
pas à mener à chef ces ébauches et il
détruisit de nombreuses toiles. Après
avoir longuement peiné sur *la Coiffure*,
composition "aigre", il ne parvint pas
à en adoucir la sécheresse.

1 **Au piano**, 1892, dessin au crayon sur calque, 101 × 85 cm
   Collection particulière, Paris
2 **Au piano**, 1892, huile sur toile, 116 × 88 cm. Musée du Louvre, Paris (photo Bulloz)
3 **Au piano**, 1892, huile sur toile, 112 × 79 cm. Mme Jean Walter, Paris
4 **Au piano**, 1892, huile sur toile, 118 × 89 cm. M. Stavros Niarchos, Paris

56

4

Heureusement, tout en gardant le sens du volume et des formes pleines, Renoir se dégagea assez vite de sa manière ingresque, précise et linéaire, pour retrouver les libertés et la "furia" de sa jeunesse. Dès le début de sa période nacrée (vers 1889), ce renouveau et cet épanouissement se manifestèrent avec une richesse croissante. Après un court séjour en juillet 1890, à Essoyes, où il peignit les différentes versions de *la Marchande de pommes*, Renoir revint au début d'août à Paris. Comme Berthe Marisot et son mari s'étaient installés à Mézy, près de Meulan, où ils avaient loué la maison Blotière, qui dominait la vallée de la Seine, Renoir profita souvent de leur hospitalité. Durant l'été, il arrivait fréquemment chez ce couple ami, à l'improviste, pour un temps plus ou moins long. Non seulement il fut toujours le bienvenu, mais il eut encore la chance de bénéficier des modèles de Berthe Morisot. C'est ainsi que Renoir peignit à Mézy deux *Jeunes Filles cueillant des fleurs* (aujourd'hui au Museum of Fine Arts de Boston) et *Dans la prairie* (au Metropolitan Museum de New York). Par la suite, Renoir se consacra presque exclusivement au nu et au portrait. Il multiplia des séries de toiles admirables, à un ou deux personnages, qui sont le plus souvent des répétitions, des variations sur un même thème. Peintes avec des blancs ou des roses, dans les demi-teintes, qui prêtent à toute la composition l'apparence de la nacre, *les Fillettes à la charlotte, les Deux Sœurs à leur lecture* (1890), *la Baigneuse au rocher* (1892), les *Jeunes Filles au bord de la mer* (1894) et surtout les différentes versions de *Au piano*, nous charment par "leurs formes douces et rondes sur lesquelles brillent des éclats de pierreries et qu'enveloppent des ombres transparentes et dorées (4)".

4 - Marc Elder, *L'atelier de Renoir*, Paris, 1931, tome II, p. 34.

1

C'est dans le jardin du "château des Brouillards", à Montmartre, où il habitait le pavillon n° 6, situé entre la rue Girardon et la rue de l'Observatoire, que Renoir réunit toute sa famille, en 1896, dans une œuvre de grand format. On y voit Pierre en costume marin, donnant le bras à sa mère, tandis que Gabrielle, accroupie, s'efforce de retenir le petit Jean, encore peu solide sur ses jambes. A droite, on reconnaît la fille du journaliste Paul Alexis, qui logeait dans le pavillon voisin de celui de Renoir. Restée dans l'atelier de l'artiste jusqu'à sa mort, cette toile capitale est aujourd'hui l'un des chefs-d'œuvre de la Fondation Barnes, à Merion.

Si, au début de sa carrière, Renoir prenait volontiers pour modèle de ses bouquets des fleurs des champs, à partir de 1896, il peignit souvent des roses. Dans les dernières années de la vie de l'artiste, la rose prend même un caractère quasi obsessionnel. Comme Vollard s'en étonnait, Renoir lui répondit : "Ce sont des recherches de tons de chair que je fais pour des nus."

2

3

4 - LE PATRIARCHE DES COLLETTES

Autoportrait de Renoir
au chapeau blanc, 1910
Huile sur toile, 42 × 33 cm
Collection Durand-Ruel, Paris

1 Renoir peignant à Cagnes vers 1905, photographie (photo Roger--Viollet)
2 Maisons à Cagnes, 1905, huile sur toile, 42 × 33 cm. Collection particulière, Paris
3 Cros-de-Cagnes, 1905, huile sur toile, 26 × 29 cm. Collection particulière, Lausanne

Vers 1900, au moment où il atteignait l'apogée de sa carrière et la plénitude de son art, Renoir fut atteint d'un mal cruel qui ne devait plus le quitter. Des rhumatismes envahirent peu à peu ses membres, au point de faire de lui un infirme, ce qui ne l'empêcha pas pour autant de peindre et de dessiner. Afin de se soigner, Renoir décida de partir pour le sud de la France et, après avoir séjourné à Magagnosc et au Cannet, il se fixa définitivement à Cagnes, en 1903. Pendant six ans, il loua pour lui et sa famille un appartement spacieux dans la maison de la Poste, devenue aujourd'hui la mairie.

1

2

De ses fenêtres, Renoir jouissait d'une vue qui s'étendait, au loin, sur toute la cité et ses environs. Il en profita pour représenter souvent les maisons et les ruelles de la vieille ville, bornées seulement par le lent étagement des collines. Dans la plupart de ces paysages, en particulier dans les vues du Cros-de-Cagnes, Renoir a su rendre avec une parfaite justesse la lumière du Midi, l'éclat merveilleux de ce pays aux teintes chaudes et cristallines qu'exalte le voisinage de la mer proche.

Dès son arrivée à Cagnes, Renoir ne se contenta pas d'évoquer les paysages et les fleurs qui l'entouraient ; c'est surtout dans son foyer qu'il put le mieux assouvir sa passion : la peinture. Comme Fragonard et Tiepolo ou, plus près de nous, Pierre Bonnard, Renoir appartenait à cette race d'artistes qui trouvent tant de beautés dans leur entourage immédiat qu'ils ne cessent pas de s'en émerveiller et de traduire sur la toile la joie et le plaisir qu'ils y trouvent. Sans exagération, on peut

dire que nul ne fut plus sensible à l'atmosphère de sa maison et de son milieu. Sa femme, ses trois fils, Pierre, Jean et Claude, dit "Coco", Gabrielle, jeune paysanne d'Essoyes, si intimement mêlée à leur vie quotidienne, furent pour lui de précieux modèles que l'on retrouve dans maints tableaux, sculptures, pastels ou sanguines.
Parmi ces modèles familiers, Coco, né le 4 août 1901, occupa une place privilégiée. Renoir, sans doute, n'a jamais éprouvé tant de joie à suivre les

1 **Claude Renoir jouant, vers 1906, huile sur toile, 46 × 55 cm**
   Collection Madame Jean Walter, Paris
2 **Jean Renoir en costume de Pierrot, 1906, huile sur toile, 81 × 65 cm**
   Collection particulière, Paris
3 **Nature morte à la tasse et au sucrier, 1904, huile sur toile, 21 × 32 cm**
   Collection particulière, Paris

1

jeux et les ris d'un petit être, qui découvre peu à peu la vie. La manière dont le peintre s'est inspiré du joli teint, des longs cheveux et des chairs potelées de son dernier enfant, permet de préciser les conditions dans lesquelles Renoir interrogeait son modèle : "Mon père, confia un jour Claude à Michel Robida, me laissait une grande liberté.

Le modèle ne devait pas être figé et je pouvais courir dans tous les sens. Parfois je devais seulement être immobile pendant trois minutes. En réalité, j'étais surtout le modèle du mauvais temps. Mon père avait en général un modèle pour son atelier, ou commençait une séance de paysage. Moi, j'étais plutôt utilisé pour les petites esquisses, à

moins de modèles bien définis, comme par exemple *le Clown rouge* (1)."
Parfois, délaissant son atelier, Renoir aimait à se faire transporter dans une vieille Victoria, conduite par Baptistin, jusqu'au lieudit "les Collettes",

1 - Michel Robida, *Renoir - Enfants*, Lausanne, 1959, p. 44.

2

chandait, ce qui permit à ma mère de lui "souffler l'affaire" (2)". C'est ainsi que le 28 juin, Renoir se rendit acquéreur des Collettes. Comme le domaine ne comprenait qu'une vieille ferme et une olivaie, il y construisit une maison de pierres avec, au rez-de-chaussée, un salon et une salle à manger et, à l'étage, des chambres à coucher et un bel atelier.

L'installation définitive de Renoir dans le Midi peut compter parmi les événements importants de la vie de l'artiste. Tout d'abord, Renoir découvrit sur la

3

non loin de Cagnes. Les vieux arbres de ce domaine et les échappées radieuses sur le cap d'Antibes ou la chaîne de l'Esterel le séduisaient et il plantait son chevalet dans le parc abandonné. Dans des souvenirs très vivants, Claude Renoir a raconté comment sa mère "profita d'une menace qui planait sur le domaine des Collettes, pour arra-

cher à Renoir l'autorisation de l'acheter. Cette belle propriété de plusieurs hectares appartenait à des Cagnois de vieille souche... Ferdinand Deconchy, un ami de Renoir, vint un jour de 1907 prévenir mes parents qu'il avait appris du notaire qu'un marchand de bois était acquéreur de la coupe de tous les oliviers. Heureusement il mar-

Côte d'Azur une nature à la fois ordonnée et luxuriante, dont il ne se fatigua jamais. Jusqu'à la fin de sa vie, il trouva dans son jardin des Collettes une source toujours fraîche d'inspiration.

2 - Claude Renoir, *En le regardant vivre*, in *Renoir*, Paris, 1970, p. 32-33.

1

2

3

L'autre découverte que fit Renoir en venant se fixer sur les bords de la Méditerranée, ce fut celle de l'Antiquité classique. Sous le ciel de cette Provence, qui ressemble tant à la Grèce, il eut l'impression de revivre les vieux mythes de l'âge d'or dont s'était nourrie l'imagination des anciens. "Quels êtres admirables que ces Grecs ! déclara un jour Renoir au poète aixois Joachim Gasquet. Leur existence était si heureuse qu'ils imaginaient que les dieux, pour trouver leur paradis et aimer, descendaient sur la terre. Oui, la terre était le paradis des dieux... Voilà ce que je veux peindre (3).

Et, en effet, pendant les dernières années de sa vie, Renoir s'efforça de ressusciter les idylles d'Anacréon et les bucoliques de Théocrite, en prêtant aux lavandières de Cagnes et à sa servante Gabrielle, la grâce, la noblesse des divinités de l'Olympe. Parmi tous les thèmes mythologiques qui retinrent l'attention de l'artiste, il faut mention-

3 - Joachim Gasquet, *Le paradis de Renoir,* in *L'Amour de l'Art,* Paris, février, 1921, p. 42.

ner particulièrement la première version du *Jugement de Pâris* (1908) et les deux grandes esquisses à l'huile pour *le Rhône et la Saône* (vers 1913). Dans toute une série de dessins à la sanguine et au crayon noir, qui sont des études pour ces deux sujets, Renoir a su retrouver sans peine les formes amples et les beaux gestes balancés de la statuaire antique.

A côté des nombreux portraits de ses enfants, Renoir a peint aussi, après 1907, les amis, les disciples, les critiques, les marchands ou les collectionneurs, qui étaient les familiers de sa résidence des Collettes ou de son appartement du boulevard de Rochechouart. C'était la femme et les enfants de son médecin, le docteur Prat. C'était Paul Durand-Ruel, Ambroise Vollard ou les frères Josse et Gaston Bernheim jeune. C'était aussi la charmante Jeanne Baudot, qui laissa sur son maître un vivant recueil de souvenirs, et puis des amateurs, tels que Maurice Gangnat, industriel sorti de l'Ecole Centrale, venu se retirer sur la Côte d'Azur, ou Mme Thurneyssen, épouse d'un riche commerçant de Munich, qui s'était pris d'une véritable passion pour l'œuvre du maître des Collettes.

Mais, à ces modèles d'occasion, Renoir préférait sans doute les jeunes femmes du Béal, de Nice ou de Menton, dont la peau prenait bien la lumière, et qui venaient poser régulièrement dans son atelier ou en plein air. Qu'elles s'appellent Gabrielle Renard, Madeleine Bruno, Hélène Bellon, Joséphine Gastaud ou Andrée Hessling, dite "Dédé" (qui devint en 1920 la première femme de Jean Renoir), on les retrouve dans de nombreux tableaux de *Baigneuses* ou de *Lavandières*. Avec leurs couleurs intenses, leurs harmonies de rouges et de bleus, ces œuvres représentent peut-être l'aboutissement des recherches de Renoir dans le domaine de la figure. Rien ne paraissait alors à l'artiste assez riche, assez somptueux, assez débordant de vie, pour indiquer les corps souples et amples de ces Vénus victo-

4

En 1907 et 1910, Renoir peignit de grands portraits de Gabrielle, qui représentent l'aboutissement de ses recherches dans le domaine de la figure. Fille d'un vigneron d'Essoyes. Gabrielle Renard (1878-1959) était parente des Charigot. C'est en 1894 que Renoir l'engagea pour aider sa femme, qui attendait son second fils Jean. Dès lors, pendant de nombreuses années, Gabrielle fut le modèle préféré du peintre.

1

2

3

rieuses. Il fallait que le sang afflue aux visages, aux bras, aux mains, dussent-ils donner l'impression d'être rouges d'avoir trop lavé. "C'est si joli à peindre des mains de femmes, déclarait Renoir, mais des mains qui se livrent aux travaux du ménage."

La guerre de 1914 vint interrompre subitement la vie paisible et laborieuse des Collettes. Mobilisés, les deux fils aînés de Renoir furent envoyés sur le front. Après des semaines d'anxiété, passées à guetter les nouvelles, Renoir

et sa femme apprirent que Pierre et Jean avaient été grièvement blessés. Aussitôt, Aline se rendit à Carcassonne, puis à Gérardmer, où ses enfants étaient hospitalisés. De ce voyage difficile, à travers une France désorganisée, elle

C'est en 1910 que Renoir peignit le portrait de Paul Durand-Ruel, assis dans son bureau de la rue Laffitte, à l'âge de quatre-vingts ans. Dans cette œuvre exceptionnelle, Renoir a fixé pour toujours l'expression chaleureuse du vieux lutteur, qu'un échotier de l'époque avait surnommé le "saint

revint rassurée sur l'état de ses chers malades, mais épuisée et bouleversée par tout ce qu'elle avait vu. A peine arrivée à Cagnes, elle dut s'aliter. Son mari la fit transporter dans une clinique de Nice, pour essayer de la sauver.

Vincent de Paul" des Impressionnistes. Défenseur de la première heure de Renoir, Paul Durand-Ruel (1830-1922) contribua par ses efforts incessants, son courage et son discernement artistique, à établir la gloire du maître dans l'ancien et dans le nouveau monde.

1 Paul Durand-Ruel dans son bureau de la rue Laffite, 1910, photographie
2 Portrait de Paul Durand-Ruel, 1910, huile sur toile, 81 × 85 cm
   Collection Durand-Ruel, Paris
3 Ambroise Vollard en costume de toréador, vers 1917, huile sur toile, 37 × 25 cm
   Musée du Petit-Palais, Paris
4 Les laveuses à Cagnes, 1912, huile sur toile, 73 × 92 cm. Collection particulière, Paris

4

Mais sa santé était déjà compromise. Elle mourut le 28 juin 1915.
Renoir ne devait pas lui survivre très longtemps. En août 1919, après un séjour à Essoyes, il put s'installer à Paris pour quelques semaines. Il eut alors la joie de voir le *Portrait de Mme Georges Charpentier* exposé au Louvre, dans la salle La Caze. Accueilli avec la plus grande déférence, il fut promené de salle en salle dans un fauteuil roulant "comme un pape de la peinture", et il put tout à son aise admirer *les Noces de Cana* en cimaise. Ce fut son dernier printemps parisien. De retour à Cagnes, Renoir se remit au travail, mais il prit froid en peignant dans le parc des Collettes. Le 1er décembre 1919, après avoir posé pour le sculpteur Marcel Gimond, qui faisait son buste, et s'être entretenu avec Ambroise Vollard et avec Félix Fénéon, le conseiller artistique de la Galerie Bernheim jeune, il se sentit

1

2

3

4

5

6

soudain fiévreux et sans forces. "Il avait commencé une petite nature morte, deux pommes, rapporte le fidèle Fénéon, qui assista aux derniers moments du peintre. Puis ce fut l'agonie. Deux médecins de Nice le soignaient : les docteurs Prat, chirurgien, et Duthil. Celui-ci était encore auprès de lui à minuit, deux heures avant sa mort. Ce docteur Duthil avait tué deux bécasses et avait raconté au malade cet exploit. Dans le délire, ces oiseaux revinrent obstinément et, associés à des idées de peinture, furent sa dernière préoccupation. 'Donnez-moi ma palette... Ces deux bécasses... Tournez à gauche la tête de cette bécasse... Rendez-moi ma palette... Je ne peux pas peindre ce bec... Vite des couleurs... Changez de place ces bécasses...' Il mourut à 2 heures du matin, le mercredi 3 décembre (4)."

Le 28 juin 1907, Auguste Renoir acheta au-delà de Cagnes une propriété de deux hectares et demi, "les Collettes", où poussaient des oliviers, des néfliers, des orangers et un peu de vigne. Comme ce domaine comportait seulement une petite ferme, Renoir y fit construire une maison et un atelier. C'est là que l'artiste passa ses dernières années ; c'est là qu'il mourut.
Dès son installation aux Collettes, Renoir ne se lassa pas de peindre son jardin et les belles échappées qui s'offraient à lui, soit

sur le vieux Cagnes, soit sur la mer. Il représenta aussi dans son atelier ou en plein air, de jeunes modèles dans tout l'éclat de leur nudité. Après 1908, une jeune fille du Béal, Madeleine Bruno, (née en 1896) posa fréquemment pour l'artiste. Elle habitait au pied des Collettes, le quartier du Vieux Moulin et des lavandières. Pour peindre cette figure de proue, dans les deux Baigneuses de 1916, Renoir a retrouvé sans peine les formes amples et les beaux gestes balancés de la statuaire antique.

4 - Félix Fénéon, Les derniers moments de Renoir, in Bulletin de la Vie artistique, Paris, 15 décembre 1919, p. 31.

Portrait de Coco (Claude Renoir), 1907
Médaillon en plâtre, diamètre : 21 cm. Musée Marmottan, Paris

DOSSIER RENOIR

RENOIR
ANNÉE PAR ANNÉE

1860
Vénus et l'Amour (Allégorie) - Huile sur toile, 46 × 38 cm - Collection particulière, Paris

Avec cette jeune baigneuse qui se mire dans l'eau, nous voyons apparaître ce qui sera, plus tard, l'un des thèmes de prédilection de Renoir. Si cette image encore conventionnelle est imprégnée de la mode et du goût d'une époque, elle est surtout issue de la vision personnelle du peintre.

1861
Pierrot et Colombine - Huile sur toile, 28 × 23 cm - M. André Goldet, Paris

A ses débuts, Renoir peignit quelques scènes de genre, dont les thèmes sont empruntés à la Comédie italienne.

1862
Chat endormi - Huile sur toile, 24 × 34 cm - Collection particulière, Paris

Renoir n'a pas été un peintre animalier. Il a peint, cependant, à deux ou trois reprises, des chats, dont la grâce féline l'attirait.

1863 - Copie d'après Rubens - Il s'agit du motif central du tableau du Louvre : Hélène Fourment et ses enfants - Huile sur toile, 73 x 59 cm - Collection particulière, Zoug.

De 1861 à 1863, Renoir fréquenta avec assiduité les galeries du Louvre, afin d'y faire des copies des toiles qu'il admirait, celles de Rubens et des maîtres du XVIIIe siècle, en particulier la Sainte-Famille de Fragonard et la Diane au Bain de Boucher.

1864
Portrait de Mlle Romaine Lacaux - Huile sur toile, 81 x 65 cm - The Cleveland Museum of Art, Cleveland

De tous les peintres impressionnistes, Renoir est peut-être le seul, avec Berthe Morisot, qui ait su représenter l'ingénuité, l'abandon et la pureté des petites filles, dont il aimait l'espièglerie naturelle mêlée de réserve.

1865
Portrait de Mlle Sicot - Huile sur toile, 119 x 98 cm - The National Gallery of Art, Washington D.C.
Renoir nous a donné ici un portrait poussé de Mlle Sicot, jeune actrice parisienne.

1866
La fête à Saint-Cloud - Huile sur toile, 50 x 61 cm - Collection particulière, Viroflay
Cette réunion dans un parc de Saint-Cloud annonce déjà les découvertes de la peinture en plein air, chère aux Impressionnistes.

1868 - Les patineurs à Longchamp - Huile sur toile, 72 x 90 cm - Collection particulière, Bâle

Renoir n'aimait pas la neige, qu'il appelait "cette lèpre de la nature". Il a peint, cependant, deux ou trois paysages d'hiver, qui rendent admirablement l'aspect particulier de la campagne engourdie. Dans "Les patineurs à Longchamp", les petits personnages, qui glissent en tous sens sur la glace, servent moins à animer la scène qu'à jalonner le paysage de points de repère et à marquer les proportions de la nature.

1867
Lise tenant un bouquet de fleurs des champs - Huile sur toile 65 x 50 cm - Collection particulière, Paris

En juillet et en août 1867, Renoir séjourna à Chailly-en-Bière et à Chantilly avec sa maîtresse Lise Tréhot. Dans deux tableaux très proches, exécutés entièrement en plein air, Renoir peignit son amie, tenant un bouquet de fleurs, à la lisière de la forêt.

1869 - Femme au corsage de Chantilly - Huile sur toile, 81 x 65 cm - M. Max Moos, Genève

Ce portrait, où l'on sent l'influence de Velasquez et de Manet, représente Rapha, la maîtresse d'Edmond Maître. Dans le fond du tableau, on remarque une armoire, peinte par Renoir pour son ami bordelais.

1870 - La promenade - Huile sur toile, 81 x 65 cm - Mrs. Nate
    B. Spingold, New York

Dès 1866, Renoir s'est montré un adepte particulièrement convaincu de
la peinture claire et du travail sur nature. Mais, c'est peut-être dans
"La promenade", de 1870, que nous voyons le mieux se préciser ce
qui deviendra la grande préoccupation de l'artiste après la guerre
franco-prussienne : associer des éléments de poésie éternelle à une
image juste de la vie contemporaine.

1871
Portrait de Mme
Darras - Huile
sur toile, 81 x 65
cm - The Metro-
politan Museum
of Art, New York

En automne 1871,
grâce aux Le
Cœur, Renoir fit la
connaissance du
capitaine Paul
Darras et de sa
jeune femme, qui
lui commandèrent
leurs portraits. Re-
noir accepta avec
joie de peindre ce
couple sympathi-
que. Il commença
par le portrait de
Mme Darras. Elle
était née Henriette
Oudiette et s'était
mariée le 21 fé-
vrier 1859.

1872
Parisiennes habil-
lées en Algérien-
nes ou Le harem -
Huile sur toile, 157
x 130 cm - Musée
National d'Art Oc-
cidental, Tokyo
Renoir avait une
grande admiration
pour Eugène Dela-
croix et on trouve
dans plusieurs de
ses tableaux des
réminiscences des
"Femmes d'Alger".
Ainsi dans "le Ha-
rem", que l'artiste
présenta sans suc-
cès au salon de
1872, et où l'on re-
trouve pour la der-
nière fois dans l'œu-
vre de Renoir le
beau visage de Lise
Tréhot.

1873
Allée cavalière au
Bois de Boulogne
- Huile sur toile,
261 x 226 cm -
Kunsthalle, Ham-
bourg.
Dans cette toile,
montée sur un châs-
sis de 2,50 m, Re-
noir peignit Mme
Darras en fière ama-
zone, campée sur
un cheval gris, et le
jeune Joseph Le
Cœur, sur un poney.

1874
Le pêcheur à la
ligne - Huile sur
toile, 54 x 65 cm -
Collection particu-
lière, Londres

1875 - Les grands boulevards - Huile sur toile, 50 x 61 cm - Collection particulière, New York

Comme Manet et Monet, Renoir a peint des vues de Paris en 1875. Par son cadrage résolument moderne, par sa perspective montante et surtout par le frissonnement des couleurs (Renoir se sert ici de touches divisées, de petits bâtonnets de teintes vives, juxtaposés les uns à côté des autres), cette vue d'un boulevard de Paris est caractéristique de la conception nouvelle des Impressionnistes.

1876 - Roses dans un vase - Huile sur toile, 61 x 50 cm - Mr. and Mrs. Harry W. Anderson, New York

1877 - Portrait de Jeanne Samary en buste ou La rêverie - Huile sur toile, 56 x 46 cm - Musée Pouchkine, Moscou

Jeanne Samary (1857-1890), jeune actrice de la Comédie-Française, posa plusieurs fois pour Renoir de 1877 à 1880. Sa fantaisie, son sourire, sa gaieté et surtout, peut-être, sa beauté épanouie, ne cessèrent de charmer l'artiste.

1878 - La tasse de chocolat - Huile sur toile, 100 x 81 cm - Mrs. Edsel Ford, Grosse-Pointe Shores (Mich.)

C'est une jeune femme de Montmartre, Marguerite Legrand, dite "Margot", qui posa ici pour Renoir dans son atelier de la rue Saint-Georges.

1879
La fin du déjeuner
- Huile sur toile,
100 x 81 cm - Stä-
delsches Kunstin-
stitut, Francfort
Renoir exécuta ce
tableau dans le jar-
din du cabaret d'Oli-
vier à Montmartre.
La femme qui tient
un verre, est l'actri-
ce Ellen Andrée ;
celle debout, non
identifiée jusqu'à ce
jour, est l'un des
modèles favoris de
Renoir. Quant à
l'homme qui allu-
me une cigarette,
c'est le frère cadet
du peintre, Edmond
Renoir (1849-1944).

1882 - Les filles de Paul Durand-Ruel - Huile sur toile, 81 x 65 cm
- Mr. Walter P. Chrysler, Jr., New York

Au mois d'août 1882, Renoir peignit le portrait des deux filles de son
marchand : Marie-Thérèse et Jeanne Durand-Ruel. Ici, Renoir s'est
efforcé de faire jouer la lumière naturelle sur de jeunes visages, afin
de mieux accorder les figures au paysage ambiant.

1880
La femme au chat
- Huile sur toile,
120 x 90 cm - The
Sterling and Fran-
cine Clark Art
Institute Williams-
town
On reconnaît dans
cette jeune fille en-
dormie, les traits de
la belle Angèle, fleu-
riste de Montmartre,
qui fut l'un des mo-
dèles préférés de
Renoir, entre 1878 et
1881. "Effrontée et
naïve", Angèle amu-
sait le peintre par
son "riche vocabu-
laire argotique".

1881
Arabe sur un cha-
meau - Huile sur
toile, 73 x 76 cm -
Mr. William Paley,
New York

1883 - Baigneuse accroupie s'essuyant le pied gauche - Huile sur
toile, 65 x 55 cm - Mme Jean Walter, Paris

1884
L'été ou Mme Renoir dans un champ fleuri - Huile sur toile, 81 x 65 cm - Mr. and Mrs. Henry Ittleson, Jr., New York
C'est à Chatou, aux environs de Paris, que Renoir peignit sa future femme, Aline Charigot, assise au milieu d'un pré fleuri.

1885
Au bord de l'eau - Huile sur toile, 54 x 65 cm - The Philadelphia Museum of Art, Philadelphie

1887
Jeunes filles jouant au volant - Huile sur toile, 54 x 65 cm - Mrs. Huguette M. Clark, New York
Malgré une certaine froideur et un certain maniérisme dans l'inclinaison des têtes et dans le maintien guindé des personnages, ce tableau est une œuvre maîtresse de la période "aigre" de Renoir.

1888
Jeune femme se baignant - Huile sur toile, 81 x 65 cm - Mr. and Mrs. David Lloyd Kreeger, Washington (D.C.)

1886
La jeune fille au cygne - Huile sur toile, 76 x 62 cm - Mr. and Mrs. Dunbar W. Bostwick, New York

Avec ce charmant modèle, nous voyons apparaître un type de femme, cher à Renoir, avec des yeux en forme d'amande sous un sourcil très net, un nez légèrement retroussé, une bouche vermeille.

1889
Jeune fille aux marguerites - Huile sur toile, 65 x 54 cm - The Metropolitan Museum of Art, New York (The Mr. and Mrs Henry Ittleson Jr., Purchase Fund)

79

1890 - Les deux sœurs ou jeunes filles dessinant - Huile sur toile, 46 x 55 cm - M. Stavros Niarchos, Paris

1891
Jeunes filles regardant un album - Huile sur toile, 81 x 65 cm - The Virginia Museum of Fine Arts, Richmond (Virginie)

L'un des thèmes que Renoir a représenté le plus volontiers est celui de la lecture. En surprenant ses jeunes modèles dans une occupation aussi paisible que celle de feuilleter un roman ou un album d'images, il pouvait leur donner une pose calme, harmonieuse et surtout naturelle.

1892
Jeune fille nue ou Jeune baigneuse - Huile sur toile, 81 x 65 cm - Collection particulière, New York.

Avec ce nu dont le corps souple se mêle aux courbes des feuillages, on retrouve "un type de femme, jeune, tout en rondeurs et en fraîcheur... d'une grâce moitié enfantine, moitié animale" (Paul Jamot).

1893
Tête de fillette à la charlotte - Huile sur toile - 41 x 32 cm - Collection particulière, Paris

Vers 1890, Renoir a peint plusieurs portraits de jeunes filles, coiffées d'un chapeau "charlotte", qui ne sont pas des portraits de commande. C'est que Renoir préférait choisir le modèle dont il pouvait étudier l'expression dans de fréquentes rencontres. De là, évidemment, le naturel, la grâce de ces jeunes profils mi-candides, mi-gourmands.

1894 - Jeunes filles au bord de la mer - Huile sur toile, 55 x 46 cm - Collection particulière, Paris

Durant l'été 1894, installé à Beaulieu-sur-mer, Renoir représenta à plusieurs reprises de jeunes estivantes en robes d'été, se reposant non loin de la mer. On connaît dans la collection de Chollet, à Fribourg, le pendant du tableau que nous reproduisons, mais la composition en est inversée, et les deux jeunes filles assises au premier plan ne portent pas de chapeaux (cf. p. 54, fig. 1).

1895
Gabrielle et Jean Renoir - Huile sur toile, 65 x 54 cm - Collection particulière, San Francisco

Pierre, Jean et Claude Renoir, les trois fils du peintre, ont tour à tour, dans leur petite enfance, servi de modèles à leur père. Leur joli teint, leurs chairs potelées, leurs gestes gracieux et naturels séduisaient l'artiste.

1897 - Trois baigneuses au crabe - Huile sur toile, 54 x 65 cm - The Cleveland Museum of Art, Cleveland (J.H. Wade Fund)

1898
Le déjeuner à Berneval - Huile sur toile, 81 x 65 cm - Collection particulière, Londres

En 1896, Renoir peignit ses deux premiers fils et leur bonne dans la salle à manger d'un chalet qu'il avait loué pour l'été à Berneval, en Normandie. Au premier plan, on reconnaît Pierre, plongé dans un livre ; dans le fond, Gabrielle prépare une tasse de bouillon pour le déjeuner du petit Jean.

1896 - Baigneuse debout - Huile sur toile, 81 x 60 cm - Baron Louis de Chollet, Fribourg

Le nu féminin a toujours été l'un des thèmes de prédilection de Renoir. Celui de la collection de Chollet est encore très proche, par l'élégance de ses lignes, des œuvres de la période "ingresque".

1899
Gabrielle à la rose ou La Sicilienne - Huile sur toile, 65 x 54 cm - Collection particulière, Paris

Dans cet admirable portrait de Gabrielle, Renoir réussit à nous faire sentir l'indéfinissable rayonnement d'un corps de femme dans sa splendeur épanouie. Gabrielle Renard était alors âgée de 21 ans.

81

1904 - Vue de Laudun - Huile sur toile, 28 x 38 cm - Collection
      particulière, Paris
Renoir fit plusieurs séjours dans la petite ville de Laudun (Gard),
sur la rive droite du Rhône, chez son ami et élève, le peintre Albert
André.

1906 - Maison de la Poste à Cagnes - Huile sur toile, 32 x 46 cm -
      Collection particulière, Paris
Du printemps 1903 à l'automne 1908, Renoir habita le plus souvent
la Maison de la Poste, à Cagnes.

1900 - Femme ajustant son corsage - Huile sur toile, 55 x 46 cm -
      Collection particulière, Paris

1902 - Baigneuse couchée ou la boulangère - Huile sur toile,
      54 x 65 cm - M. Stavros Niarchos, Paris

C'est avec une prédilection particulière que Renoir a peint vers 1902
de jeunes baigneuses dans tout l'éclat de leur nudité. Couchées,
debout, assises, se lavant ou se séchant, pansant quelque blessure
ou surprises par le soleil, elles n'ont pas d'autre tâche que d'exposer
leurs corps à la lumière.

1908 - Le jugement de Pâris - Huile sur toile, 81 x 101 cm -
      Mrs. Louise R. Smith, New York (photo Knoedler, New York)
Le berger Pâris, un bonnet phrygien sur la tête, tend la pomme du
triomphe à Aphrodite. De chaque côté de l'élue, Héra et Athéna, ses
compagnes désappointées, esquissent des gestes d'étonnement et de
regret.

1910 - Roses dans un vase - Huile sur toile, 46 x 44 cm - Collection particulière, Genève

C'est aux Collettes que Renoir peignit ce radieux bouquet de roses, représentées dans toute la fraîcheur de leur carnation, dans tout l'éclat de leur épiderme. Le vase à décor floral, où elles sont arrangées, se retrouve dans plusieurs compositions de la même époque.

1912 - Grand nu assis - Huile sur toile, 93 x 74 cm - Musée d'Art Moderne, Sao Paulo (Brésil)

Qu'elle s'appelle Vénus ou la Boulangère, Gabrielle ou Dédé, la femme de Renoir a le torse long, des hanches larges, des jambes courtes et des bras pleins, d'une seule coulée.

1914
La ferme des "Collettes" - Huile sur toile, 54 x 65 cm - Collection particulière, New York
Pour peindre l'un des aspects de son jardin des Collettes, Renoir s'est restreint ici à une gamme d'émeraudes et de rubis.

1916 - Groupe de baigneuses - Huile sur toile, 73 x 92 cm - The Barnes Foundation, Merion (Penn.)

Ces baigneuses, hautes en couleurs, aux corps souples et amples, peuvent être considérées comme une version plus libre et plus montée de tons des "Grandes baigneuses" de la collection Tyson.

1918 - Les grandes baigneuses - Huile sur toile, 110 x 160 cm - Musée du Louvre, Paris

Pour cette toile de grandes dimensions — qui est saluée à juste titre comme le testament du grand artiste — Renoir prit pour modèle Andrée Hessling (dite "Dédé), qui devint plus tard Mme Jean Renoir.

EXPERTISE

Au contraire de tant de petits maîtres du XIX⁰ siècle, qui ont traité des thèmes nouveaux sans que ceux-ci aient un effet décisif sur leur manière de voir, Renoir n'a pas été seulement moderne d'intention. Au renouvellement des sujets correspond chez lui un renouvellement des moyens d'expression. De bonne heure, à force de travail, Renoir s'est créé une palette personnelle et a su découvrir des accents aussi justes que nouveaux. C'est pourquoi, au premier coup d'œil, avant même d'avoir lu la signature, on reconnaît un tableau du maître des Collettes à son écriture particulière. On comprend donc aisément que l'étude des circonstances historiques qui ont entouré sa création, de même qu'un pédigree sans failles, ne sauraient suffire à l'authentification d'une œuvre de Renoir. Avant tout, cette œuvre — qu'elle soit une peinture à l'huile, un pastel, une aquarelle ou un dessin — doit être étudiée pour elle-même.

Renoir peignait presque toujours sur des châssis standards, que lui fournissait l'un de ses premiers défenseurs, M. Legrand. Il choisissait de préférence des toiles fines, d'un grain très fin. Avant d'attaquer son tableau, Renoir passait souvent sur sa toile un enduit blanc, qui contribuait à éclairer les glacis. Après les recherches et les hésitations de ses débuts, plus précisément à partir de *la Loge* (1874), et surtout après *le Déjeuner des Canotiers*, terminé en 1881, Renoir arrêta de façon presque définitive le choix des couleurs de sa palette. Selon les témoignages de M. Edouard, 8, rue Pigalle, et de M. Moisse, qui furent ses marchands de couleurs attitrés, Renoir resta fidèle jusqu'à sa mort à ce choix. Sans doute, le peintre fit-il subir à sa palette, de temps à autre, certaines modifications : suppression du vert émeraude ou adjonction d'un nouveau bleu indigo ; mais, dans l'ensemble, il s'en tint aux couleurs suivantes : blanc d'argent, jaune de chrome, jaune de Naples, ocre jaune, terre de Sienne naturelle, vermillon, laque de garance, vert Véronèse, vert émeraude, bleu de cobalt, bleu outremer (cf. la Palette de Renoir, à la page 51 du présent livre).

Si Renoir était difficile pour la qualité matérielle des couleurs qu'il utilisait, il l'était tout autant pour le choix des brosses. Il employait de préférence des pinceaux de martre, à poils gris, dits pinceaux de Melloncillo, qui étaient fabriqués en Russie. Pour délayer les tons purs il se servait d'un mélange d'huile de lin et d'essence rectifiée. Le dosage de l'huile fut l'une de ses préoccupations constantes, car il était soucieux d'assurer le vieillissement de ses œuvres et de leur permettre de braver le temps. "La peinture n'est pas de la rêvasserie, confiait Renoir à son disciple Albert André. C'est d'abord un métier manuel et il faut le faire en bon ouvrier."

A part quelques esquisses, qu'il considérait sans doute comme des œuvres inachevées, Renoir signait toutes les toiles qu'il vendait ou donnait. Jusqu'en 1875 environ, il aimait à faire précéder son nom de famille de l'initiale de son prénom, et il signait en lettres déliées : "A. Renoir." Parfois, lorsqu'il s'agissait d'œuvres de petit format, il se

Les deux sœurs ou Deux fillettes, vers 1890 - Huile sur toile, 46 x 55 cm - Mme Jean Walter, Paris

Femme au chapeau de paille (Mlle Alphonsine Fournaise), 1880 - Huile sur toile, 50 x 61 cm - Collection particulière, Lausanne

contentait d'y apposer son monogramme : "A. R." Plus tard, Renoir prit l'habitude de signer ses peintures de son nom seul : "Renoir." Il l'écrivait en caractères plus ou moins gras, suivant les périodes, parfois en noir, parfois en blanc ou en rouge. Pendant la première moitié de sa carrière, Renoir datait volontiers ses tableaux. Après 1885, il y renonça presque toujours. C'est ce qui explique qu'il soit souvent difficile de situer dans le temps avec une exactitude absolue les œuvres de la maturité et de la vieillesse du grand artiste.

3

Les deux sœurs ?, tableau faux, habilement composé d'après deux tableaux authentiques, cf. fig. 1 et 2

A la mort de Renoir, la plupart des toiles — dont beaucoup étaient inachevées — qui se trouvaient dans les ateliers du peintre à Paris et à Cagnes, n'étaient pas signées. C'est pourquoi les héritiers de Renoir firent apposer sur chacune d'entre elles un cachet, une griffe, afin de les authentifier et de fixer leur provenance.

Malgré la difficulté de copier le style et l'écriture inimitables du peintre du *Moulin de la Galette,* on vit apparaître au lendemain de la mort de Renoir, et même de son vivant, des contrefaçons plus ou moins habiles. Aujourd'hui, on connaît, hélas ! un nombre impressionnant de *faux* Renoir. Ils sont, en général, facilement reconnaissables et peuvent se diviser en trois groupes bien distincts.

Dans le premier groupe, de beaucoup le plus nombreux, on peut classer des œuvres anonymes, sur lesquelles des mains aventureuses ont ajouté indûment une signature apocryphe de Renoir. Ce sont des figures, des paysages ou des natures mortes de petits maîtres de la seconde moitié du XIXᵉ siècle, dont le faire, le style et l'aspect général rappellent de façon plus ou moins précise la manière de Renoir. En 1920 déjà, un scandale éclata à New York lorsque les experts découvrirent que trente-trois toiles et quatre-vingt-seize pastels et dessins, qui avaient passé en vente publique à la galerie Anderson, n'étaient en réalité que des œuvres du peintre Lucien Mignon. Des falsificateurs adroits avaient effacé les signatures de cet artiste inconnu pour les remplacer par de fausses signatures de Renoir. (Sur cette affaire, cf. le *Bulletin de la Vie artistique,* Bernheim jeune, Paris 1920, nᵒˢ 8, 12 et 13.)

Le second groupe comprend essentiellement des *copies,* faites d'après des tableaux célèbres de Renoir. Exécutées le plus souvent devant les toiles elles-mêmes ou d'après des reproductions en couleurs, ces copies démarquent généralement des œuvres appartenant à des musées ou des fondations publiques. Le *Torse d'Anna, la Balançoire, le Déjeuner des canotiers* ou les *Filles au piano* ont été souvent l'objet de contrefaçons grossières. Hélas, des intermédiaires peu scrupuleux les présentent comme des études préparatoires ou comme des variantes de la main du maître. Si ces copies sont dans la plupart des cas aisément identifiables, il est parfois difficile, lorsqu'il s'agit d'œuvres de la fin de la vie de Renoir, de différencier les copies des originaux. Il n'est pas de faux, cependant, qu'un examen attentif ne finisse par déceler. Renoir se distingue toujours de ses nombreux pasticheurs. Les rayons ultra-violets permettent de découvrir les repeints et de juger de la véracité d'une signature. Les prélèvements chimiques apportent aussi de précieuses indications, car les copistes contemporains utilisent des couleurs synthétiques, inconnues à l'époque de Renoir.

Enfin, signalons un troisième groupe d'œuvres, qui ne sauraient être confondues avec des toiles authentiques de Renoir. Il s'agit de *faux absolus,* inventés de toutes pièces par des escrocs, qui essaient de tirer profit de leurs plagiats. Parfois, les faussaires s'inspirent de plusieurs œuvres de Renoir, qui appartiennent à différentes époques de la carrière du maître, et les rapprochent habilement dans un tableau original, en apparence seulement. Ainsi, dans le faux que nous reproduisons, le faussaire a démarqué deux portraits, popularisés par la reproduction : *la Femme au chapeau de paille (Mlle Fournaise),* qui date de 1880, et *les Deux Sœurs* de 1890 de la collection Walter.

RENOIR
ET LA FAMILLE BÉRARD

LES PARENTS

Parmi les amateurs perspicaces et passionnés, qui furent les premiers à défendre l'œuvre de Renoir, Il convient de faire une place spéciale à M. et à Mme Paul Bérard. Secrétaire d'ambassade, puis banquier et administrateur de sociétés, Paul Bérard (1833-1905) avait épousé de bonne heure Marguerite Girod (1844-1901), dont il eut quatre enfants. En 1879, ce couple intelligent et cultivé fit la connaissance de Renoir, grâce à l'intermédiaire de Charles Deudon, qui avait acquis trois ans auparavant *la Danseuse*, l'un des chefs-d'œuvre incontestés de l'artiste. Tout de suite, un courant de sympathie s'établit entre Renoir et ce ménage de grands bourgeois protestants, ne demandant qu'à se laisser séduire. Dès lors, et jusqu'à la mort de Paul Bérard, Renoir fréquenta assidûment l'hôtel privé de son mécène, au n° 20 de la rue Pigalle, à Paris. C'est là qu'il représenta son ami et son protecteur en une attitude familière, la cigarette à la main, et aussi son épouse, dont le visage doux et discret respire la bonté. Il suffit de comparer ces deux portraits à des photographies de l'époque, pour comprendre avec quel art le peintre a su saisir la ressemblance profonde de ses modèles. Renoir fit également de nombreux séjours d'été dans la propriété de ses amis, à Wargemont, près de Dieppe. Selon le témoignage d'un neveu des Bérard, "il trouvait dans cette demeure accueillante une hospitalité franche et simple qui créa autour de lui, dans le cadre d'une opulente nature, un climat d'insouciance et de liberté favorable à l'épanouissement de son génie".

3

1

1 - Portrait de Paul Bérard, 1880 - Huile sur toile, 50 x 40 cm - Collection particulière, Paris

2 - Paul Bérard vers 1880 - Photographie

3 - Portrait de Mme Paul Bérard, 1879 - Huile sur toile, 80 x 65 cm - Collection particulière, Paris

4 - Mme Paul Bérard, née Marguerite Girod, en 1879 - Photographie

2

4

5 - Marthe Bérard ou La fillette à la ceinture bleue, 1879 - Huile sur toile, 130 x 75 cm - Musée d'Art Moderne, Sao Paulo (Brésil)

6 - Marthe Bérard en 1879 - Photographie

LES ENFANTS

En mars 1879, Paul Bérard commanda à Renoir un premier portrait, celui de sa fille aînée Marthe (plus tard Mme Roger de Gallye d'Hybouville), alors âgée de neuf ans. Pendant l'exécution, écrit Théodore Duret, Renoir "eut la prudence pour ne pas effaroucher, de se tenir dans une gamme de tons sobres. Il s'abstint des couleurs éclatantes... Le portrait plut aux parents et aux amis de la famille qui vinrent le voir". Dès lors, Renoir fut accueilli à bras ouverts chez les Bérard. L'été suivant, en séjour à Wargemont, il peignit non seulement le fils de ses hôtes, André (né en 1868), en costume bleu de collégien à large col blanc, mais aussi leur nièce Thérèse Bérard (qui épousera le colonel Albert Thurneyssen), vêtue d'un corsage teinté de mauve.

9 - André Bérard en costume de collégien en 1879 - Photographie

10 - Le petit collégien (André Bérard) 1879 - Huile sur toile, 40 x 32 cm - Mr. and Mrs. Josef Rosensaft, New York

11 - Portrait d'André Bérard enfant, 1879 - Huile sur toile, 40 x 32 cm - Collection particulière, Paris

5

9

7 - Portrait de Thérèse Bérard, 1879 - Huile sur toile, 56 x 47 cm - The Sterling and Francine Clark Art Institute, Williamstown (Mass.)

8 - Thérèse Bérard en 1879 - Photographie

10

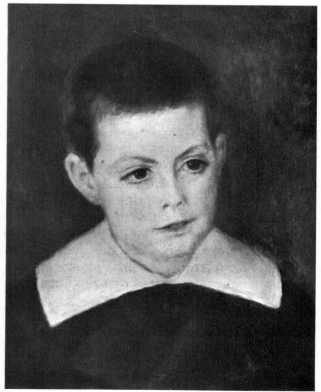

11

WARGEMONT
ET SA PLAGE

Le château de Wargemont, sur la
route du Tréport, était entouré
d'un grand parc, proche de la
mer. Renoir profita de son séjour
chez les Bérard, en été 1879,
pour préparer sur la plage de
Berneval une grande composition qu'il destinait au salon de
1880. Il y représenta quatre jeunes pêcheuses de moules sur la
plage de Berneval. On reconnaît
dans la fillette aux cheveux
épars le modèle de *la Bohémienne* de la collection Meyer.
Durant la même saison, Renoir
peignit aussi, au bord de la mer,
un portrait de Marthe Bérard, en
costume de pêcheuse. Vêtue
d'une blouse et d'une culotte
rayées de blanc et coiffée d'un
chapeau de paille orné de rubans, l'enfant s'apprête à pêcher
des crevettes avec son filet (fig.
15). Quelques mois plus tard,
Renoir consentit à faire en ca-
chette une réplique de ce charmant tableau pour Mme de la
Perrière, marraine de la jeune
Marthe (fig. 14).

12

13

12 - La bohémienne, 1879 - Huile
     sur toile, 73 x 54 cm - Mr. and
     Mrs. André Meyer, New York

13 - Pêcheuses de moules à Ber-
     neval, 1879 - Huile sur toile,
     175 x 130 cm - The Barnes
     Foundation, Merion (Penn.)

14 - La petite pêcheuse (Marthe
     Bérard), 1879 - 2ᵉ version -
     Huile sur toile, 61 x 46 cm -
     Mr. and Mrs. Josef Rosensaft,
     New York

15 - La petite pêcheuse (Marthe
     Bérard), 1879 - 1ʳᵉ version -
     Huile sur toile, 60 x 45 cm -
     Collection particulière, Genè-
     ve

14

15

LES DÉCORATIONS DE WARGEMONT

Durant l'été 1879, Renoir ne peignit pas seulement des portraits des enfants Bérard et des scènes de plage, il décora également d'une grande composition allégorique le salon du château de Wargemont. A la demande de ses hôtes, il choisit le thème de *la Fête de Pan*. Autour du buste du dieu, couronné de roses blanches, la Jeunesse tresse des guirlandes pour célébrer le retour du printemps. Deux ans plus tard, en août 1881, Renoir exécuta plusieurs natures mortes destinées à la salle à manger du manoir normand de ses amis : les deux plus belles représentent des pêches à l'épiderme velouté, dans une jardinière de Delft, et un faisan mort couché sur la neige.

16 - La fête de Pan, 1879 - Huile sur toile, 60 x 72 cm - Collection particulière, New York

17 - Le faisan sur la neige, 1879 - Huile sur toile, 49 x 64 cm - M. L.C. Stein, Genève

18 - Nature morte aux pêches et raisins, 1881 - Huile sur toile, 54 x 65 cm - The Metropolitan Museum of Art, New York (The Mr. and Mrs. Henry Ittleson, Jr., Purchase Fund)

16

17

18

LES FLEURS
DE WARGEMONT

A Wargemont, Renoir retrouva
les joies du plein air qu'il avait
déjà tant aimées à Argenteuil et
à Chatou. Dans une toile vibrante
de lumière, il représenta le manoir normand des Bérard, avec
sa façade de briques patinées
par le temps, émergeant au-
dessus de la roseraie, toute par-
semée de fleurs épanouies. Plus
tard, en 1884 et en 1885, Renoir
peignit sur la table du salon une
bassine de cuivre à godrons sail-
lants, garnie de géraniums rouges et roses qui se détachent
sur une tenture bleutée ; puis un
jeté de roses, fraîchement cou-
pées dans le jardin de Mme
Bérard. Cette dernière nature
morte — il vaudrait mieux em-
prunter à la langue anglaise le
terme si juste de *still life*, c'est-
à-dire "vie silencieuse" — tra-
duit à la fois la délectation
éprouvée par l'artiste et celle
que nous éprouvons à notre tour.

19 - La roseraie et le château de
Wargemont, 1879 - Huile sur
toile, 65 x 81 cm - Collection
particulière, Paris

19

20

21

20 - Géraniums dans une bassine   21 - Les roses de Wargemont,
de cuivre, 1884 - Huile sur   1885 - Huile sur toile, 36 x
toile, 81 x 64 cm - Collection   46 cm - Collection particuliè-
particulière, Genève   re, Paris

LECTURES ET SOURIRES DE WARGEMONT

Les enfants Bérard posèrent chacun à leur tour pour Renoir. Les séances de travail étaient courtes et, parfois, décidées à l'improviste. C'est que Renoir recherchait avant tout des attitudes naturelles et non guindées. Le portrait de Marguerite Bérard, dite "Margot", seconde fille de l'ami du peintre, fut fait en quelques instants. Rencontrant la fillette qui pleurait, Renoir, pour la consoler, lui proposa de la représenter sous les traits d'une enfant réjouie. Deux ans plus tard, toujours à Wargemont, Renoir réunit dans une même toile les portraits des quatre enfants de Paul Bérard. Une sorte de tendresse se dégage de tous ces visages que l'on sent des visages aimés. Un jour, Renoir peignit aussi le visage sympathique de Léon, le valet des Bérard, qui demeura quarante ans au service de ses maîtres.

22 - Le château de Wargemont, photographie

23 - Marguerite Bérard, dite Margot, en 1879 - Photographie

23

22

24 - La petite Margot Bérard, 1879 - Huile sur toile, 41 x 33 cm - The Metropolitan Museum of Art, New York

25 - Les enfants Bérard, 1881 - Huile sur toile, 61 x 80 cm -

The Sterling and Francine Clark Institute, Williamstown

26 - Le concierge de M. Paul Bérard, 1879 - Huile sur toile, 22 x 16 cm - Collection particulière, Porto-Ronco (Tessin)

25

26

L'APRÈS-MIDI A WARGEMONT

27

28

27 - L'après-midi des enfants à Wargemont,
1884 - Huile sur toile, 130 x 170 cm - National Galerie, Berlin

28 - Enfant en robe blanche (Lucie Bérard),
1883 - Huile sur toile, 61 x 50 cm - The Art Institute of Chicago, Chicago (Illinois)

C'est à Wargemont, en 1884, que Renoir peignit quelques-unes des œuvres les plus significatives de sa période "ingresque". Dans une toile de grand format, l'artiste a réuni les trois filles de Paul Bérard : Marguerite, Lucie et Marthe (de gauche à droite). Comme l'a remarqué l'un des derniers exégètes de Renoir, "l'absence d'ombres, l'intensité des tons, les poses hiératiques des personnages confèrent à l'Après-midi des enfants la solennité d'une œuvre de la Renaissance et les charmes d'une peinture naïve". La même grâce un peu sévère, la même précision du dessin, la même pureté de style imprègnent les deux portraits de Lucie Bérard, en particulier celui "au tablier blanc". Troisième fille et dernier enfant de Paul Bérard, Lucie naquit en 1880. Elle épousa David Pieyre de Mandiargues, ingénieur des Mines, tué à la guerre de 1914-1918.

29

30

29 - Fillette au tablier blanc (Lucie Bérard),
1884 - Huile sur toile, 35 x 27 cm - Collection particulière, Paris

92

LA COLLECTION PAUL BÉRARD

Paul Bérard fut un remarquable collectionneur, qui sut devancer le goût de son temps. Il réunit près d'une trentaine de toiles importantes de Renoir, non seulement son portrait et ceux de tous les siens, mais aussi des paysages et des figures caractéristiques de la manière impressionniste du maître, telles que *la Songeuse*, la *Femme au chapeau noir* et la *Baigneuse* de 1879. Mais

Paul Bérard se montra aussi le défenseur passionné de plusieurs des amis de Renoir. Lors de la vente après décès du grand amateur, les 8 et 9 mai 1905, à la galerie Georges Petit, on vit passer aux feux des enchères : six Monet, deux Berthe Morisot, trois Sisley, un Lépine, deux Lebourg, et plusieurs aquarelles de Harpignies, de Morisot, de Carle Vernet et de Pissarro.

31 Renoir

30 - Lucie Bérard vers 1884 - Photographie

31 - Baigneuse, 1879 - Huile sur toile, 48 x 37 cm - Mrs. Marshall Field, New York

32 - La femme au chapeau noir, 1876 - Huile sur papier, 38 x 25 cm - Collection particulière, Paris

33 - La songeuse, 1879 - Huile sur toile, 49 x 60 cm - The City Art Museum, Saint-Louis

32

33

BIBLIOGRAPHIE DE RENOIR

Les livres et les articles consacrés à la vie et à l'œuvre de Renoir sont innombrables. Dans le premier tome de notre *Catalogue raisonné* du grand artiste, nous en avons recensé plus de six cent cinquante, parus pour la plupart en France — ce qui est naturel —, mais aussi dans les pays anglo-saxons et germaniques, en Italie, en Espagne, et même au Japon. C'est dire qu'une bibliographie un peu complète dépasserait les limites du présent ouvrage. Aussi, dans l'obligation de faire un choix sévère, nous nous sommes bornés à énumérer les ouvrages fondamentaux parus sur Renoir, en y ajoutant quelques études récentes, qui apportent du nouveau sur le maître impressionniste.

Le premier essai de Catalogue de l'œuvre de Renoir est dû à Ambroise Vollard. Dans cet ouvrage en deux tomes, paru en 1918, le célèbre marchand a reproduit, sans aucune méthode, 1741 *tableaux, pastels et dessins* qui lui étaient passés entre les mains, plus un certain nombre de documents provenant des musées et des galeries parisiennes. Le deuxième essai de catalogue fut édité en 1931 par la galerie Bernheim-Jeune. Il s'agit de *l'Atelier de Renoir*, publication de grand format, en deux volumes, énumérant dans l'ordre chronologique les 720 tableaux et études, peints pour la plupart après 1890, que l'artiste avait conservés jusqu'à sa mort dans sa propriété des Collettes.

Quel que soit l'intérêt de ces premiers répertoires, il faut bien reconnaître qu'ils sont loin de dénombrer dans sa totalité l'œuvre immense de Renoir. Cette lacune est heureusement en voie d'être comblée, grâce au *Catalogue raisonné de l'Œuvre peint de Renoir* par François Daulte, dont le premier tome, consacré aux *Figures* (1860-1890) a paru, en 1971, aux éditions Durand-Ruel à Lausanne. Précédé d'un avant-propos de Jean Renoir et d'une importante préface de Charles Durand-Ruel, cet ouvrage comprend 646 numéros, tous reproduits et décrits, une étude critique sur l'art de Renoir, une biographie détaillée, un dictionnaire bibliographique des modèles de l'artiste et un index des propriétaires de ses œuvres. Ce premier tome sera suivi de quatre autres, en cours de publication : deux sur *les Figures* de 1891-1919, un sur *les Paysages,* un dernier sur *les Natures mortes.*

Les eaux fortes et les lithographies de Renoir ont été cataloguées par Loys Delteil dans *le Peintre-Graveur illustré, Camille Pissarro, Alfred Sisley, Auguste Renoir,* Paris, 1923, tome XVII. Quant aux bronzes du patriarche de Cagnes, ils ont fait l'objet d'une belle étude d'ensemble de Paul Haesaerts, *Renoir sculpteur,* éditions Hermès, Paris-Bruxelles, 1947.

A part deux articles pour *l'Impressionniste* (14 et 28 avril 1877), un projet de manifeste pour une "Société des Irrégularistes", en mai 1884, et une lettre-préface pour la traduction française par Victor Mottez du *Livre de l'Art ou Traité de la Peinture* de Cennino Cennini (bibliothèque de l'Occident, Paris, 1911), Renoir n'a laissé en fait d'écrits que des lettres, mais celles-ci sont très nombreuses. Si la correspondance du grand peintre n'a pas encore été réunie, des extraits importants en ont paru dans les

ouvrages ou périodiques suivants : *Renoir,* in Bulletin des expositions Braun, Paris, 1932, n° 1 ; Jules Joets, "Les Impressionnistes et Chocquet", in *l'Amour de l'Art,* Paris, avril 1935 ; Michel Florisoone, "Renoir et la famille Charpentier", in *l'Amour de l'Art,* Paris, février 1938 ; Lionello Venturi, *Les Archives de l'Impressionnisme,* éditions Durand-Ruel, Paris-New York 1939, 2 tomes ; Remus Niculescu, "Georges de Bellio, l'Ami des Impresionnistes", in *Revue roumaine d'Histoire de l'Art,* 1964, tome 1, n° 2 ; "Lettres de Renoir à Paul Bérard", in *La Revue de Paris,* décembre 1968 ; Barbara Ehrlich-White, "Renoir's Trip to Italy", in *The Art Bulletin,* 1969, vol LI.

Dans les dernières années de la vie de Renoir ou après sa mort, plusieurs de ses disciples et de ses intimes ont consigné leurs souvenirs dans des essais ou des articles qui, avec les lettres déjà publiées ou encore inédites, constituent une source essentielle pour connaître les travaux et les jours du maître impressionniste. Ce sont dans l'ordre chronologique : Edmond Renoir, "Le peintre Renoir - Lettre à Emile Bergerat", in *La Vie moderne,* Paris, 19 juin 1879, n° 11 ; Walter Pach, "Interview with Renoir", in *Scribner's Magazine,* New York, 1912 ; Julius Meier-Graefe, *Auguste Renoir,* éditions H. Floury, Paris, 1912 ; Ambroise Vollard, *La Vie et l'Œuvre de Pierre-Auguste Renoir,* éditions Vollard, Paris, 1919 ; Albert André, *Renoir,* "Les Cahiers d'aujourd'hui", éditions Crès, Paris, 1919 ; Georges Rivière, *Renoir et ses Amis,* éditions H. Floury, Paris, 1921 ; Théodore Duret, *Renoir,* éditions Bernheim-Jeune, Paris, 1924 ; Jeanne Baudot, *Renoir, ses Amis, ses modèles,* Editions Littéraires de France, Paris, 1949.

Après les écrits du peintre et les témoignages de ses contemporains, citons enfin quelques monographies essentielles et quelques études d'ensemble ou de détail, parues récemment, et qui contiennent des documents précieux sur Renoir : Julius Meier-Graefe, *Renoir,* éditions Klinkhardt et Bierman, Leipzig, 1929 ; Alfred Barnes et Violette de Mazia, *The Art of Renoir,* éditions Minton, Balch & Co., New York, 1935 ; Maurice Bérard, *Renoir à Wargemont,* éditions Larose, Paris, 1939 ; Denis Rouart, *Renoir,* éditions Skira, Genève, 1954 ; François Daulte, *Pierre-Auguste Renoir, aquarelles, pastels et dessins,* éditions Phœbus, Bâle, 1958 ; Michel Drucker, *Renoir,* éditions Tisné, Paris, 1955 ; Willi Schuh, *Renoir und Wagner,* éditions E. Rentsch, Zürich, 1959 ; Douglas Cooper, "Renoir, Lise and the Le Cœur Family : A Study of Renoir's Early Development", in *The Burlington Magazine,* mai et septembre-octobre 1959 ; John Rewald, *The History of Impressionism,* New York, The Museum of Modern Art, 1961 ; Jean Renoir, *Renoir,* éditions Hachette, Paris, 1962 ; Henri Perruchot, *La Vie de Renoir,* éditions Hachette, Paris, 1964 ; François Daulte, "Renoir, son œuvre regardé sous l'angle d'un album de famille", in *Connaissance des Arts,* Paris, novembre 1964 ; John Rewald, "Chocquet and Cézanne", in *La Gazette des Beaux-Arts,* Paris, juillet-août 1969 ; François Daulte, "Renoir et la famille Bérard", in *l'Œil,* Paris, février 1974.

Musée possédant 3 Renoir ou plus :

EUROPE

DANEMARK
COPENHAGUE - Ny Carlsberg Glyptotek ; Ordrupgaardsamlingen

FRANCE
LIMOGES - Musée des Beaux-Arts
NICE - Musée Masséna
PARIS - Musée du Louvre (galerie du Jeu de Paume) ; Musée Marmottan ; Petit-Palais ; Musée Rodin

ALLEMAGNE
BERLIN-OUEST - National Galerie
STUTTGART - Staatsgalerie

GRANDE-BRETAGNE
EDIMBOURG - National Gallery of Scotland
LONDRES - Courtauld Institute ; The National Gallery ; The Tate Gallery

PAYS-BAS
ROTTERDAM - Musée Boymans-Van Beuningen

SUISSE
BALE - Kunstmuseum
WINTERTHOUR - Kunstmuseum ; Collection Oskar Reinhart am Römerholz
ZURICH - Kunsthaus ; Stiftung Emil Georg Bührle

U.R.S.S.
LENINGRAD - Musée de l'Ermitage
MOSCOU - Musée Pouchkine

● **MUSÉE POSSÉDANT PLUS DE TROIS ŒUVRES**

• **MUSÉE POSSÉDANT MOINS DE TROIS ŒUVRES**

RENOIR DANS LE MONDE

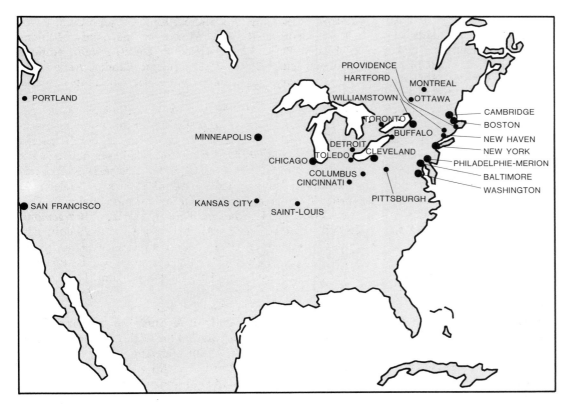

Musée possédant 3 Renoir ou plus :

AMÉRIQUE

BRÉSIL
SAO-PAULO - Musée d'Art moderne

U.S.A.
BALTIMORE - The Museum of Art
BOSTON - Museum of Fine Arts
CAMBRIDGE - The Fogg Art Museum
CHICAGO - The Art Institute of Chicago
CLEVELAND - The Museum of Art
PHILADELPHIE - The Philadelphia Museum of Art
MERION - The Barnes Foundation
MINNEAPOLIS - Institute of Arts
NEW YORK - Brooklyn Museum ; Metropolitan Museum of Art; The Solomon R. Guggenheim Museum
SAN FRANCISCO - The California Palace of the Legion of Honor
WASHINGTON - National Gallery of Art ; Phillips Collection
WILLIAMSTOWN - Sterling and Francine Clark Art Institute

ASIE

JAPON
TOKYO - Bridgestone Museum of Art ; Musée National d'Art Occidental

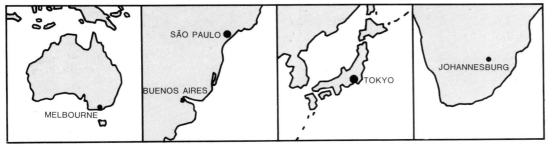

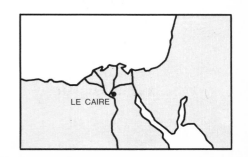